子ども版

これで死ぬ

外遊びで子どもが危険にあわないための安全の話

文―大武美緒子
監修―羽根田治・藤原尚雄
松本貴行・山中龍宏

山と溪谷社

はじめに

自然体験を子どもにたくさんさせてあげたい。家族でアウトドアでの時間を過ごしたい。そんな風に考える人が増え、多くの人が親子でアウトドアを楽しんでいます。野外での五感を駆使した遊びは、想像力や豊かな感性を育み、子どもの心身の成長に大切なものをもたらしてくれるでしょう。

一方で、海や川などの水辺、山での痛ましい事故があとをたちません。とくに家族連れ、初心者同士での事故は、同じような要因や状況で起こっていることが特徴です。

本書は実際にあった子どもの事故例を元に、子どもを危険から守るため、また子ども自身がその危険を知り、自分で考え行動できるように、安全のための基本的な知識を解説しています。

また、公園や学校の校庭などでも子どもが命を落とす事故が繰り返されていることから、本書ではそうした身近な屋外での危険についても取り上げています。

自然のなかでの遊びに、多かれ少なかれ危険はつきものです。私たちは「危ないからだめ」と言うのではなく、危険に対応する力を身につけることが大切だと思っています。本書は、小学高学年ぐらいから読めますので、ぜひお子さんと一緒に読んでいただけたら幸いです。

親子で、また多世代や友人家族同士で自然の素晴らしさを体感し、豊かな時間を過ごすことができるよう願っています。

この本の使い方

事故事例

きけん 1

速い流れに引き込まれる

7月下旬、京都府の木津川で川遊びをしていた6〜15歳の子ども5人が流されました。15歳の男子中学生が自力で川岸にたどり着いて助けを求め、3人は現場から30〜40m下流で近くにいた人たちに救助されました。約300m下流まで流された7歳の男の子は病院に搬送後、死亡しました。

事故の起こった川は住宅地からもアクセスがよく、コンクリート製の柵のない橋（長さ約80m、幅約2m）がかかっています。子どもたちが遊んでいたのは、川のほぼ中央付近の橋の上流側、ゆるやかな流れの場所でしたが、左岸沿いは速い流れがあり、また橋を境にして橋の下流側で急に流れが速くなっていました。

子どもたちは、ゆるやかな流れに身をゆだねて遊んでいるうちに、流れの速い岸側に入ってしまったか、橋のすぐ下から始まる流れに引き込まれてしまい一気に流されてしまったと考えられます。

12

13 | 川の危険

本書は、「川の危険／海の危険／山の危険／身近な外の危険」の4章で構成されています。紹介している事例は、どれも実際にあった子どもの事故事例です。どこからでも興味のある項目から読むことができます。子どもとアウトドアで遊ぶ計画をしたら、ぜひそのフィールドの章だけでも読み返してほしいと思います。

漫画

川·海·山……それぞれの場所で、安全に楽しく遊ぶために必要な知識を、ナビゲーターが教えてくれます。

死なないためには

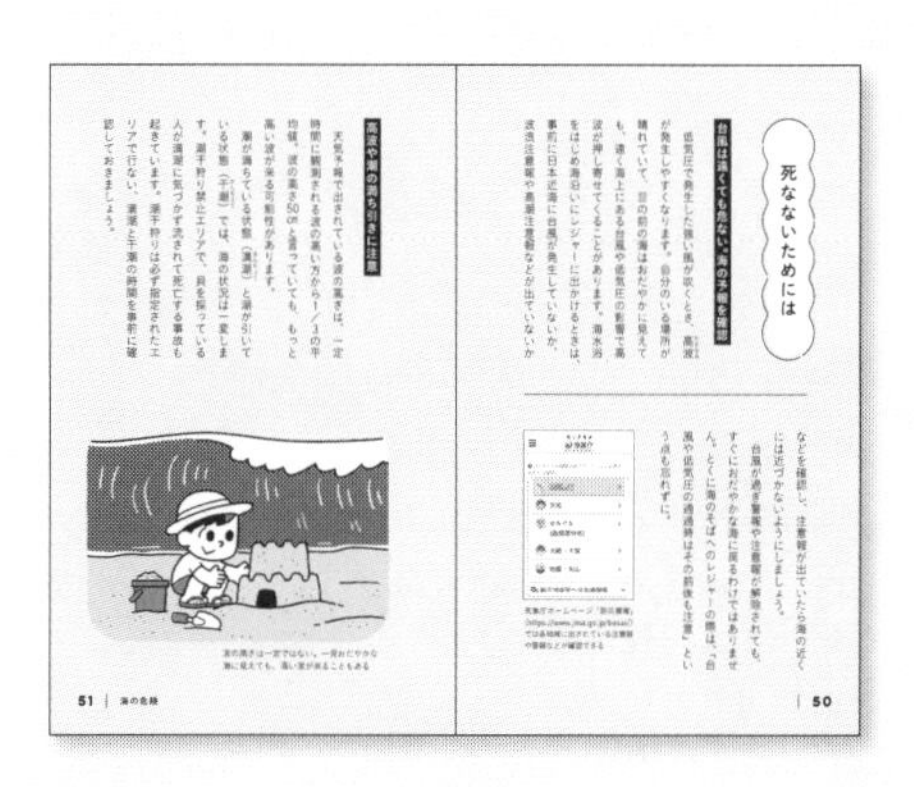
死なないためには

台風は遠くても危ない。海の予報を確認

低気圧で発生した強い風が吹くとき、高波が発生しやすくなります。自分のいる場所が晴れていて、目の前の海はおだやかに見えても、遠く海上にある台風や低気圧の影響で高波が押し寄せてくることがあります。海水浴をはじめ海沿いにレジャーに出かけるときは、事前に日本近海に台風が発生していないか、波浪注意報や高潮注意報などが出ていないかなどを確認し、注意報が出ていたら海の近くには近づかないようにしましょう。

台風が過ぎ警報や注意報が解除されても、すぐにおだやかな海に戻るわけではありません。とくに海のそばへのレジャーの際は、「台風や低気圧の通過時はその前後も注意」という点も忘れずに。

気象庁ホームページ「防災情報」(https://www.jma.go.jp/bosai/)では各地域に出されている注意報や警報などが確認できる

50

高波や潮の満ち引きに注意

天気予報で出されている波の高さは、一定時間に観測される波の高い方から1/3の平均値。波の高さ50㎝と言っていても、もっと高い波が来る可能性があります。

潮が満ちている状態（満潮）と潮が引いている状態（干潮）では、海の状況は一変します。潮干狩り禁止エリアで、貝を採っている人が満潮に気づかず流されて死亡する事故も起きています。潮干狩りは必ず指定されたエリアで行ない、満潮と干潮の時間を事前に確認しておきましょう。

波の高さは一定ではない。一見おだやかな海に見えても、高い波が来ることもある

51 | 海の危険

命にかかわる危険は、未然に防ぐことがいちばん大切です。「死なないためには」では、その危険を避けるために、初心者でもこれだけは知っておきたい知識、対策について解説しています。

本書では基本的なことのみを解説していますので、ぜひ本書をきっかけとして、より詳しい解説書を読んだり講習会に参加するなどして、安全のための実践的な技術を身につけてください。

漫画で登場するキャラクター

烏狩山平（うっかりさんぺい）
仙太郎の父。
よくうっかりする

烏狩仙太郎（うっかりせんたろう）
山平の息子。10歳

ナビゲーター
子どもたちの安全を守りながら、アウトドアの世界をナビゲートしてくれる

CONTENTS

目次

2章 海の危険

CONTENTS

目次

3章 山の危険

4章

身近な外の危険

1章

川の危険

川や水辺は子どもにとって、
身近で楽しい遊び場であるとともに
自然に触れる学びの場でもあります。
しかし、毎年子どもの水難事故が
あとを絶たないのも川です。
川で楽しい時間を過ごすために、
川にある危険や事故を未然に
防ぐ方法をこの章で確認しましょう。

きけん
1
速い流れに引き込まれる

7 月下旬、京都府の木津川（きづがわ）で川遊びをしていた6～15歳の子ども5人が流されました。15歳の男子中学生が自力で川岸にたどり着いて助けを求め、3人は現場から30～40m下流で近くにいた人たちに救助されました。約300m下流まで流された7歳の男の子は病院に搬送後、死亡しました。

事故の起こった川は住宅地からもアクセスがよく、コンクリート製の柵のない橋（長さ約80m、幅約2m）がかかっています。子どもたちが遊んでいたのは、川のほぼ中央付近の橋の上流側、ゆるやかな流れの場所でしたが、左岸沿いは速い流れがあり、また橋を境にして橋の下流側で急に流れが速くなっていました。

子どもたちは、ゆるやかな流れに身をゆだねて遊んでいるうちに、流れの速い岸側に入ってしまったか、橋のすぐ下から始まる流れに引き込まれてしまい一気に流されてしまったと考えられます。

死なないためには

浅くても流れがあれば流される

川には流れがあり、体に流れの力がかかります。浅いところなら安心と思いがちですが、ひざ程度の水深でも流れが速い川では、大人でも簡単に流されます。大人のひざ程度の浅さで、流速2m／sの場合、片足にかかる力は約15kg。バランスを崩して転倒し水があたる面積が大きくなれば、もっと大きな力が加わります。子どもは体重が軽いので、大人よりも簡単に流されてしまいます。

流れのある川では、浮力よりも大きな力が体に加わるため、人は水に浮いていること自体がむずかしいのです。浮力を補う浮き具がないと、呼吸ができる姿勢を保てず、人は流されながら川底へ沈んでいってしまいます。

ライフジャケットが命を守る

川遊びの際は、浮力を確保するためのライフジャケットを必ず着用します。川岸の遊びでも、転落の危険があります。また、水中の岩は滑りやすいため、滑りにくく脱げにくいシューズが必要です。

子どもは股下ベルト付きのものを

ライフジャケットはアウトドアショップ、ホームセンターなどで購入できます。インターネットでも購入できますが、体に合わないライフジャケットは、水の中でずり上がって顔が水面から出なくなってしまい危険です。また、体からすっぽ抜ける危険もあるため、子ども用は股下ベルトのあるものを選びましょう。ストラップベルトをしめて、体とのすき間があかないようにし、大人は垂直方向に子どものライフジャケットを引っ張ってずり上がらないかを確認するのを忘れずに。

川遊び、これだけはそろえよう

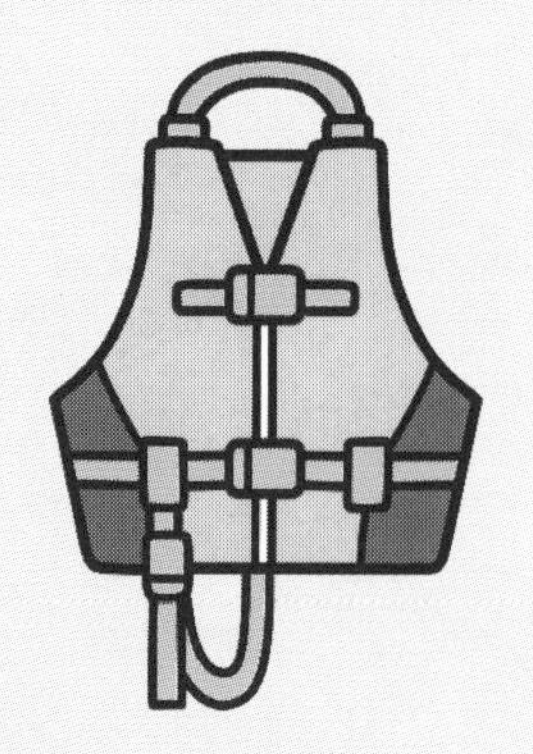

ライフジャケット

最も重要なアイテム。子ども用には股下ベルトがあるタイプを。水にふれると自動で膨張するタイプもある

シューズ

水中の岩にはコケがついていることがあり、滑りやすい。脱げにくく、滑りにくいリバーシューズかスポーツサンダルを

きけん 2

落とし穴にはまる

7月下旬、大阪府の船橋川(ふなばしがわ)で、近くに住む小学2～3年生の男の子3人が水に入ってザリガニ捕りをして遊んでいたところ、小学3年生の2人が川の深みに落ちてしまいます。1人は自力で岸に上がり、1人がおぼれ救急隊によって救助されましたが、搬送された病院で3日後に死亡しました。

事故が起きたのは、市街地を流れる小河川(しょうかせん)で川沿いを通る地域の大人も多い場所です。男の子がおぼれたのは、岸から約4m離れた場所で深さ1m程度。これ以外の場所の水深は20～30㎝ほどで、子どもたちがよく川遊びをしている場所だったそうです。事故当日の水量も普段と変わりませんでした。

深みになっている場所は、農業用取水堰(しゅすいせき)の直下で川底の一部が削られ落とし穴のような状態になっていました。男の子は、深みになっている場所で発生している引き込まれる流れにはまって抜け出せなくなった可能性も考えられます。この場所には、堤防(ていぼう)の道路から管理用の階段で降りることができました。

死なないためには

川特有の危険「引き込まれる流れ」を知る

川の流れは一定ではなく、川岸からはわからない複雑な流れがあります。とくに川特有の危険として知っておきたいのは、強い流れとゆるやかな流れが合流する場所で発生する水中に引き込まれる流れです。この引き込まれる流れには人は逆らえず、ライフジャケットを着ていなければ水面に浮上することはできません。

川には川岸からはわからない「引き込まれる流れ」がある。必ずライフジャケットを着用しよう

川の危険がある場所

川の合流地点
2つの川が合流する場所は、引き込まれる流れなど複雑な流れが発生しているため近づかないように

濡れた石やコンクリート
滑りやすく、転落して落水の危険がある。こうした場所には近づかないようにしたい。河原や川岸などで遊ぶときもライフジャケットを着用しよう

倒木やブロック
川に倒れ込んだ木やコンクリートブロックは、引っかかると水の力に押さえつけられて脱出できなくなる（P22）

岩
岩の大きさや、水量などによって複雑な流れが発生していることがあるので、近づかないように

岸がくぼんだ場所
岸が入り江のようにくぼんでいる場所では、反転する流れが起きる。本流に比べて流れがゆるやかなため、水遊びに適しているように一見見え、浮き輪を付けて子どもを遊ばせがちだが、本流のほうに流されてしまうので、注意。

橋
橋の周辺は、引き込まれる流れなど複雑な流れが発生していたり、流木やゴミなどがたまっていたりすることがある。これらに引っかかると脱出できなくなる（P22）

きけん
3

ブロックに挟まる

8月中旬、岐阜県の根尾川（ねおがわ）で川の流れをせき止める堰堤（えんてい）の上を10人ほどでバーベキューに来ていた父親、妹（8歳）と歩いていた10歳の男の子が足を滑らせて転落し流されました。男の子は、10mほど下流に並べてあるコンクリートブロックの間に挟まり、約2時間半後に川底から引きあげられましたが、搬送先で死亡が確認されました。一緒に流された8歳の妹は、父親に助けられ無事でした。

男の子が転落した堰堤は川の水が越流（えつりゅう）していて滑りやすい状態でしたが、一見しただけでは、大人が付き添えば子どもでも渡れそうに思え、小学生ぐらいの子どもは、川を渡って遊びたくなる場所です。堤防の下流側に並んでいるコンクリートブロックは金具で固定されていて、ブロック間に約30～50㎝の隙間があり、ここにはまり込むと流れの圧力を受けて抜け出せなくなる危険な場所でした。

死なないためには

水中で脱出できなくなるトラップに注意

流れのある川で川底の石の間などに足がはさまれたりすると、ライフジャケットを着ていても、川の流れの圧力を受けて水面上に顔を出したり脱出がむずかしくなります（フットエントラップメント）。また、コンクリートブロックや水中にある流木などに体がとらわれてしまった場合も、全身が圧力を受け動けなくなります（ボディエントラップメント）。

フットエントラップメント

川底の石の間などに足がはさまれ転倒すると、水の流れの圧力で水中に体が押し込まれて動けなくなる。フットエントラップメントは、歩いて渡れそうな浅い場所で発生する

ボディエントラップメント

水中の倒木やコンクリートブロックに体をとらえられると、全身に水の流れの圧力を受け、脱出はむずかしい。川にある人工構造物などの危険を子どもにも伝えよう

万が一流されてしまったら

流されてしまったら無理に泳ごうとせず、トラップを避けるために足を下流に向け、足先を水面まで持ち上げ、足や体が水の中の岩やゴミに引っかからないよう、膝からつま先を水面に出します。ライフジャケットを着用していないと、この姿勢はとれません。

人工構造物には近づかない

橋脚（きょうきゃく）の周辺も流木やゴミがはりついていたり、複雑な流れが発生していたりすることがあります。農業用の取水口（しゅすいこう）付近も流れが速く吸い込まれたりする危険が。バーベキューなど水に入ることを想定していない場合も、転落などの危険があります。川に近い場所に遊びに行く場合は、子どもにも川にはこのような危険があることを事前に伝え、現地でも危険な場所を確認、堰堤（えんてい）やブロックなどの人工構造物のある場所には近づかないようにしましょう。

きけん
4

助けようとしておぼれる

4月下旬、大阪府の安威川（あいがわ）で、川で遊んでいた13歳の男子中学生と小学生3人のうち、2人が深みに流されました。ジョギング中だった30代男性が助けようと飛び込みましたが、男子中学生と9歳男の子は、別の通行人の男性らに救助されました。男子中学生は3日後に死亡、飛び込んだ男性は、水深2・5m付近の川底で見つかり、病院に搬送後死亡が確認されました。事故が起きたのは市街地を流れる川で、河川敷は公園として整備されています。

　子どもたちは、川を横切るように敷かれたコンクリートブロックを飛び石がわりにして川の中央付近で遊んでいたところ、濡れたコンクリートで滑って転倒したか、流れに足元をすくわれるなどして転倒、下流に流され深みにはまったと見られています。ブロックを川の水が越流（えつりゅう）している地点の水深は足首程度ですが、数メートル下流は、増水時の水の流れで川底が深くえぐられて、水深5〜6mの深みになっていました。

死なないためには

飛び石は危険

川に設置された人工構造物は、コケなどで滑りやすい、複雑な流れが起きているなど危険が多いことは、P19でも紹介しました。見慣れた場所で、水深が浅く流れもゆるやかな場所でも雨などで様子は一変します。川底に敷かれたコンクリートブロックなどは、飛び石にして子どもが遊びたくなる場所でもあります。危険な場所だと繰り返し伝えましょう。

助けに行くのはちょっと待って！

子どもがおぼれている。その場に居合わせたら、なんとかして助けなければと思うでしょう。ですがおぼれた人を助けようとした人（川に立ち入って手や棒を差し伸べるなどを含む）のうち約14％で、救助者がおぼれる、流されるなどの二次災害が起こっています（公益財団法人河川財団調査による）。

水の中に入って救助しようとする行動はリスクが高く、専用の装備を持っている人や、訓練を積んだ人だけが救助にあたることができます。

わたしたちにできることは、１１９番への通報で救助を要請し声をかける。安全な場所へ指示、誘導する。浮き輪などの浮力になるものがあれば投げる。これらの水の中に入らない方法で救助を試み、自身の身を守ることを忘れずに行動しましょう。

川での水難事故は、起こってしまうと救助がとても困難な事態になってしまいますが、未然に防ぐことはむずかしくありません。痛ましい事故、二次災害を起こさないためには川の危険を正しく知り、ライフジャケットを着用し、安全な場所で遊ぶことにつきます。

きけん 5

お菓子を拾おうとしておぼれる

6月上旬、京都府の古川(ふるかわ)で、小学生の男女4人が砂がたまってできた中州(なかす)で遊んでいたところ、7歳の男の子が落としたお菓子を拾おうとして川の中に入り、水深約1・2mの深みにはまっておぼれ、死亡しました。事故の起こった川の幅は約5~10m、流れもゆるやかですが、都市下水路や農業排水が流れ込んでいる箇所で深みができていました。男の子は、急な護岸(ごがん)ではい上がることができず、パニックになった可能性があります。

死なないためには

川ではモノを追いかけない

川には、陸から肉眼では見えない深みや複雑な流れが隠れています。子どもの事故で多いのが、ボールやサンダル、浮き輪などが流され、深みに気づかず追いかけておぼれてしまう、というケース。水の中に入っていなくても、水面に落ちたものを拾おうとして転落する危険もあります。

「川ではモノを追いかけない・拾わない」ということを子どもとよく話して約束しましょう。もちろん、大人も同様です。

かかとが固定できるシューズを選ぶ

川では、ビーチサンダルや樹脂製のサンダルは脱げて流されやすいので危険です。専用のリバーシューズや、バックル付ストラップで止めるタイプのスポーツサンダルなど、かかとが固定できるものが適しています(P15)。川岸で遊ぶ際にもフットギアの選び方は重要です。水際の石やコンクリートはコケが生えていることもあり、滑りやすくなっています。靴底が滑りにくいものを選びましょう。

きけん
6

鉄砲水に流される

ドドドドドぅ

7月下旬、愛媛県の山間部にある宿泊・自然体験施設にお泊り保育で訪れていた幼稚園の園児31人（5〜6歳）と引率の保育者8人が、施設近くの加茂川（かもがわ）で川遊びをしていました。午後3時半ごろ、鉄砲水が発生。急な増水で園児3人と引率していた職員1人が流され、そのうちの1人、5歳の男の子の行方がわからなくなりました。男の子は、約200m下流で発見されましたが死亡しました。園児、引率者はライフジャケットを着用しておらず、避難や救助のためのロープや浮き具などの準備はされていませんでした。

この地域では梅雨前線の影響で、事故前日までの9日間、付近の降水量の合計は73㎜（※）、雨が降らなかったのは1日のみでした。当日は未明から朝方、ところによりカミナリをともなう激しい雨が降る予報が出ていました。事故の起こった場所は山間を流れる中流域で、事故当日の朝までに周囲の山に降った雨が上流からこの川に集まり、急な増水が発生したと考えられます。

※事故が起きた現場の上流側にあるアメダスの観測地点の9日間の降水量（日）を合計した値

死なないためには

気象状況は、さかのぼって確認する

山に降った雨が上流に集まり、下流に影響を及ぼすのには時差があります。山間部では、山の上で降った雨によって急激な増水（鉄砲水）の危険も。当日は晴れていても、とくに台風や梅雨の時期、長雨が続く時期などは、1週間ほどさかのぼって気象状況を確認する必要があります。

遊びに行く川の水位の変化、ダムの放流情報などは、国土交通省の川の防災情報で確認できます。

自分のいる場所に雨が降っていなくても

自分たちが遊んでいる場所ではたとえ雨が降っていなかったとしても、川の上流部や周囲の山に黒い雲がかかっていたり、雷鳴が聞こえたりしたら、川の水量が急激に増える可能性があります。すぐに川から離れましょう。また、流木や落ち葉が流れてくる、水が急に冷たくなる、水が濁ってくる、これらは鉄砲水の前兆です。ただちに安全な場所に避難します。

上流のほうで、雷鳴が聞こえたり、雨が降っていたりしたら、すぐに川から離れて安全な場所に避難しよう

川の防災情報では、河川名や所在地から検索できるほか、地図からも該当の川が探せる。水位グラフのほか、10分ごと、時間ごと、過去1週間の雨量がわかる

出典：水情報国土データ管理センター　川の防災情報
https://www.river.go.jp/

大人は子どもより下流に立つ

もし子どもが流されたら、大人が追い付こうと思ってもむずかしく、二次災害の危険もあります。危険な場所を事前に確認、近づかないようにし、大人もライフジャケットを着用して、あらかじめ子どもよりも下流でバックアップします。

複数人の子どもを引率する場合には、現地の下見を行ない、見守りとバックアップ体制を決めておきます。ですが、川での救助は専門的なトレーニングを積んだ人でないかぎり容易ではありません。危険の少ない場所を選び、ライフジャケットをはじめとした装備はぬかりなく。気象状況を慎重に確認のうえ、少しでもリスクがある場合は、中止や予定を変更する判断が必要です。

現地で事前に確認すること

- ☑ライフジャケットを正しく装着できているか
- ☑流れはゆるやかか
- ☑複雑な流れが発生する地形や岩はないか
- ☑橋や堰堤、ブロックなどの構造物はないか
- ☑流木やゴミはないか

ライフジャケットを着用した大人は、常に子どもの下流側に立ち、
流された際に備えてフォローする。子どもからは離れないように

きけん 7

湖でおぼれる

8月上旬、滋賀県・琵琶湖(びわこ)の水泳場で、スポーツクラブの仲間20人余りと引率のコーチ2名で遊びに来ていた9歳の男の子が湖面に浮いているところが発見され、搬送先の病院で死亡が確認されました。

おぼれていたのは、岸から約15mの場所でした。この年、琵琶湖では8月だけで4件の死亡事故がいずれも琵琶湖西岸で起きています。事故当時も波はおだやかでしたが、琵琶湖西岸は岸から10m離れただけで急に深くなる場所があるとのことです。

死なないためには

湖は急に深くなることも

一見しておだやかに見える湖ですが、死亡事故の多い琵琶湖では、岸から離れていない場所で、急に水深が深くなる場所があると指摘されています。浅瀬から急な深みにはまりおぼれてしまうというケースがあるのです。風のある日は波もあり、流されることもあります。ライフジャケットを着用し岸近くで遊ぶ。大人は子どもから離れないのが基本です。

風と水温に注意

湖では、岸付近の水温は温かくても岸から少し離れると水温が急に下がることがあります。湖面の上の層と下の層の水温に差があり、冷たい水に急に触れ、足がつってしまったりしておぼれてしまう危険につながるのです。大人の死亡事故例ですが、北海道の湖で、カヌーが強風で転覆し湖に投げ出され、ライフジャケットを着ていても低体温症に陥り命を落とした事故も起きています。気象状況は入念にチェック。風の強い日は湖に入らないようにしましょう。

ライフジャケットの準備はOK？

浅いところだし心配いらないよ
暑いし動きにくい…
泳ぐわけじゃないし大丈夫じゃない？
いやいや川は岸から見ただけではわからない危険があるんだチュ～
浅いところでも、流れが速いところでは流されてしまいます
一度流されたら川では浮いていることがむずかしいのです
だからライフジャケットが必要！
そ、そうなんだ…

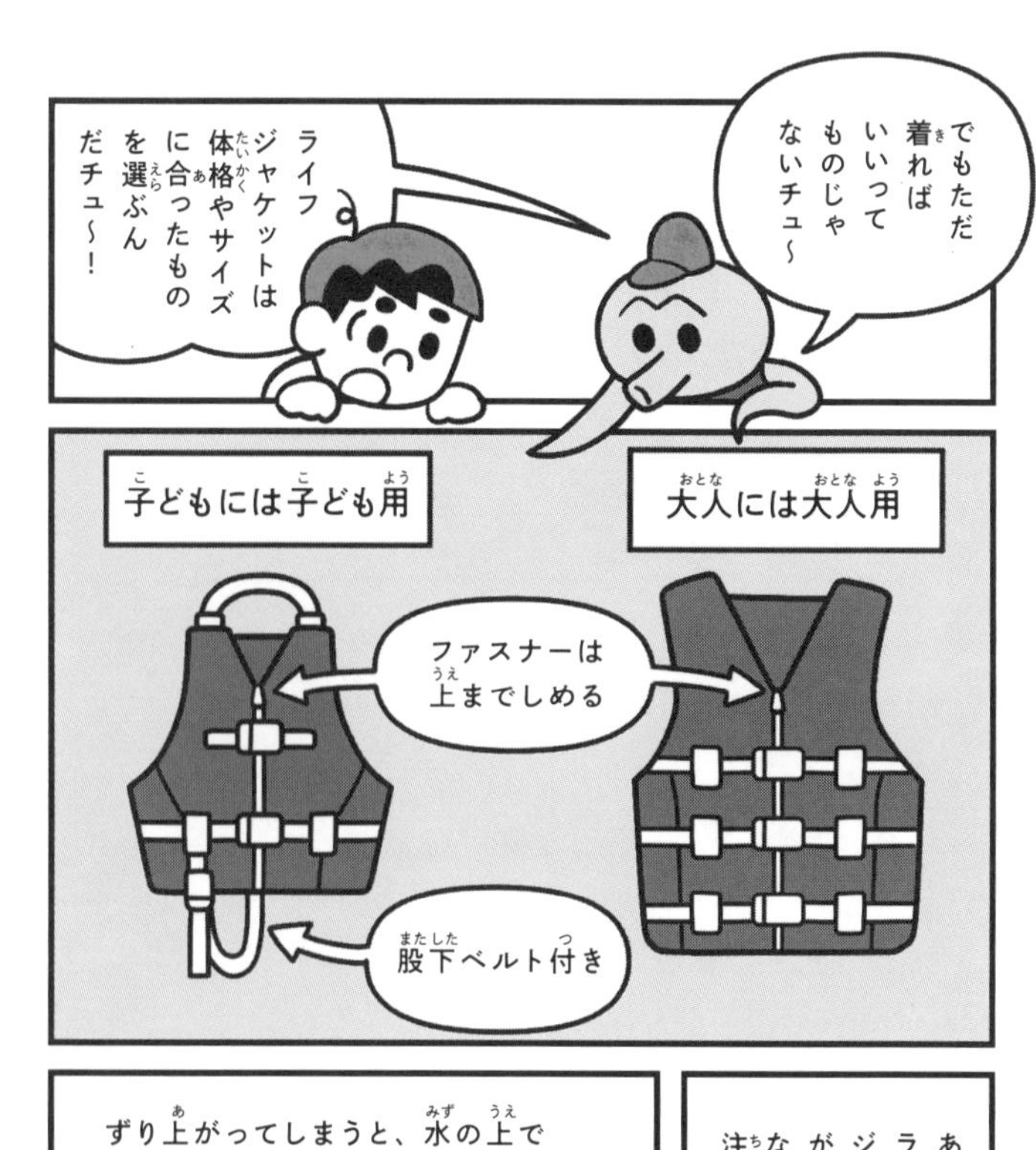

でもただ着ればいいってものじゃないチュ〜
ライフジャケットは体格やサイズに合ったものを選ぶんだチュ〜！
子どもには子ども用
大人には大人用
ファスナーは上までしめる
股下ベルト付き

あと水の中でライフジャケットがずり上がらないよう注意するチュー

ずり上がってしまうと、水の上で口と鼻よりも上にライフジャケットが来てしまいます

ひえ〜！
こうなると呼吸ができなくなってしまう！

よし！これでずり上がらないぞ
パパさんもライフジャケットを着ておくチュ〜
僕も？
これを着て子どもの下流側にいると、いざというときに助けられるチュ〜
なるほど
川にはいろいろな発見がいっぱい
安全面に気をつければすばらしい自然体験になるチュ〜！
あーっ
ぼくの焼きそば食べてる！
チュルチュル
また作ってあげるから…

2章

海の危険

海には、海水浴はもちろん、シュノーケリング、釣りなど楽しい遊びがたくさんあります。一方で、高波や離岸流、河口流など海独特の危険がひそんでいます。海へ行く前に、この章で危険な点をチェックしておきましょう。

きけん 8

釣りで堤防(ていぼう)から転落

11月下旬、徳島県で8歳の男の子が堤防から転落、父親が海から引き上げ、病院に搬送されましたが死亡しました。男の子は家族で釣りに来ていて、魚のえさになる貝を探している途中で堤防から波消しブロックの間に転落し、おぼれたと見られています。

香川県では、8月下旬に堤防に釣りをしにきていた4歳の男の子が海に転落、助けようと飛び込んだ60代祖父が、男の子を助けたあとおぼれて死亡する事故が起きています。

2023年に起きた海のレジャー中の事故による死亡・行方不明者は218人（大人を含む）。そのうち、釣りをしている最中の事故による死亡・行方不明者は90人で、全体の約40％を占めています（※1）。また、12歳未満の釣りの際中の事故の92％が海への転落で、そのうち82％がライフジャケット未着用でした（死亡事故以外も含む2012〜2021年海上保安庁の累計※2）。

※1「令和5年における海難発生状況（速報値）」（海上保安庁）による
※2「子供の海の事故発生状況と当庁の取り組み」（海上保安庁）による

死なないためには

釣りのときは全員がライフジャケットを

海では遊びの種類や個人の泳力、経験によって、ライフジャケットの着用をおすすめします。とくに海に転落する事故の多い釣りの場合は、たとえ通いなれた自宅近くの堤防であっても、同行者全員のライフジャケット着用が必須です。体格に合ったものを正しく装着しましょう（ライフジャケットについてはＰ14～15も参照）。ライフジャケットは浮力になるほか、海に落ちたときの衝撃をやわらげ、冷たい海の中で体を保温する役割もあります。

海に落ちたら、まずは呼吸を確保

ライフジャケット着用が命を守る大前提になりますが、万一、釣りをしていて堤防から海に落ちてしまったときは、ロープやはしごなど、まず周囲につかまるところはないか確認します。もしない場合は、パニックにならずに呼吸を確保するあらゆる方法をとることが大切です。Ｐ47に呼吸を確保する浮き方を紹介します。

浮き方の例

立位　　背浮き　　立ち泳ぎ

※立位と背浮きは波風のないおだやかな環境下で

ライフセービングバックストローク（イカ泳ぎ）

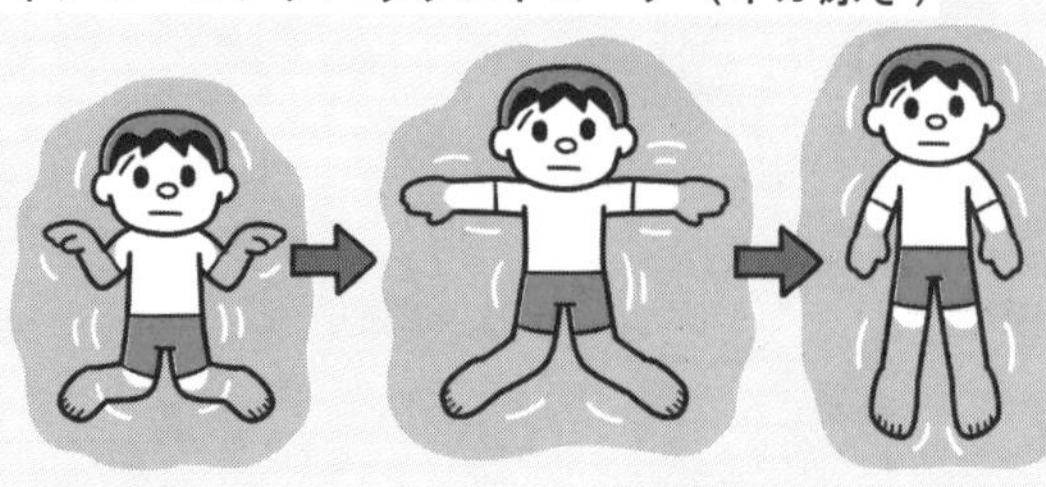

浮き具として使えるものを確認しておく

助けようと海に飛び込むのは、泳ぎに自信がある人でも、二次災害を招くリスクが大きいので禁物です。万一、海に転落してしまった人がいたら、ペットボトル、バケツ、クーラーボックスなど浮くのを助ける補助的なものを投げ入れる方法があります。ペットボトルは中身を少し残しておくと、より遠くに飛ばすことができます。釣りざおなど長いものを差し出して助ける方法では、救助者は腹ばいになったり、固定されたものに捕まったりして、海に落ちないように気をつけます。

きけん 9

高波にさらわれる

8月中旬、静岡県の海岸沿いの遊歩道を13歳の姉と歩いていた11歳の女の子が、高波にさらわれて行方不明になりました。一緒に流された姉は自力で岸に戻り助けを求め、約6時間後、女の子は約120m沖の海底で見つかり死亡が確認されました。事故が起きたのは観光地としてハイカーや旅行客も多く訪れる人気の遊歩道で、約2・7㎞の行程。途中、太平洋に面した岩場を歩く箇所があります。

事故の起きた日の天候は曇り。雨は降っていませんでしたが、この地域には台風が近づいており、事故が起きた付近の波の高さは約3～4m、前日に波浪警報と強風注意報、当日は波浪注意報が出されていました。

高波にさらわれたと見られる事故はほかにも繰り返し起きており、神奈川では、8月上旬、海岸で遊んでいた男子中学生が波にさらわれ姿が見えなくなり、沖合約20mの場所で発見後、死亡が確認されるという事故が起きています。

死なないためには

台風は遠くても危ない。海の予報を確認

低気圧で発生した強い風が吹くとき、高波（たかなみ）が発生しやすくなります。自分のいる場所が晴れていて、目の前の海はおだやかに見えても、遠く海上にある台風や低気圧の影響で高波が押し寄せてくることがあります。海水浴をはじめ海沿いにレジャーに出かけるときは、事前に日本近海に台風が発生していないか、波浪注意報や高潮注意報などが出ていないかなどを確認し、注意報が出ていたら海の近くには近づかないようにしましょう。

台風が過ぎ警報や注意報が解除されても、すぐにおだやかな海に戻るわけではありません。とくに海のそばへのレジャーの際は、「台風や低気圧の通過時はその前後も注意」という点も忘れずに。

気象庁ホームページ「防災情報」(https://www.jma.go.jp/bosai/)では各地域に出されている注意報や警報などが確認できる

高波や潮の満ち引きに注意

天気予報で出されている波の高さは、一定時間に観測される波の高い方から1／3の平均値。波の高さ50㎝と言っていても、もっと高い波が来る可能性があります。

潮が満ちている状態（満潮）と潮が引いている状態（干潮）では、海の状況は一変します。潮干狩り禁止エリアで、貝を採っている人が満潮に気づかず流されて死亡する事故も起きています。潮干狩りは必ず指定されたエリアで行ない、満潮と干潮の時間を事前に確認しておきましょう。

波の高さは一定ではない。一見おだやかな海に見えても、高い波が来ることもある

きけん 10

離岸流に流される

7月中旬、島根県の海岸に家族で海水浴に来ていた11歳の女の子と10歳の男の子が海で流されているのを見つけ、助けに向かった父親がおぼれて死亡しました。子どもたちは無事でした。3人は、海岸から沖合約35m付近で見つかり海岸から沖に向かって強い流れが生じる「離岸流」に流されたと見られています。砂浜が広がる海岸の南には波消しブロック、北側には小島があり離岸流が発生しやすい地形とも言われ、同じ海岸で離岸流に流されたと見られる事故が過去に複数起こっています。この海岸は、以前は海水浴場として使用されていましたが、事故当時海水浴場は開設されておらず、ライフセーバーはいませんでした。

また静岡県の海水浴場では8月下旬、離岸流と見られる強い流れで十数人が一度に沖合に流される事故が起きています。多くはライフセーバーや消防隊員によって救助されましたが20代の男性1人が死亡しました。

死なないためには

気がつかないうちに流される離岸流に注意

海水浴中の事故で多いのが、海岸から沖に向かう強い流れ「離岸流」に流されてしまうことによるもの。遊泳可能と言われる波の高さであっても、離岸流に流されてしまうと、浮き輪で遊んでいる子どもは知らず知らずのうちに足が届かないところへ流されてしまいます。水泳の得意な人でも、流れに逆らって泳いで戻るのはむずかしいと言われています。

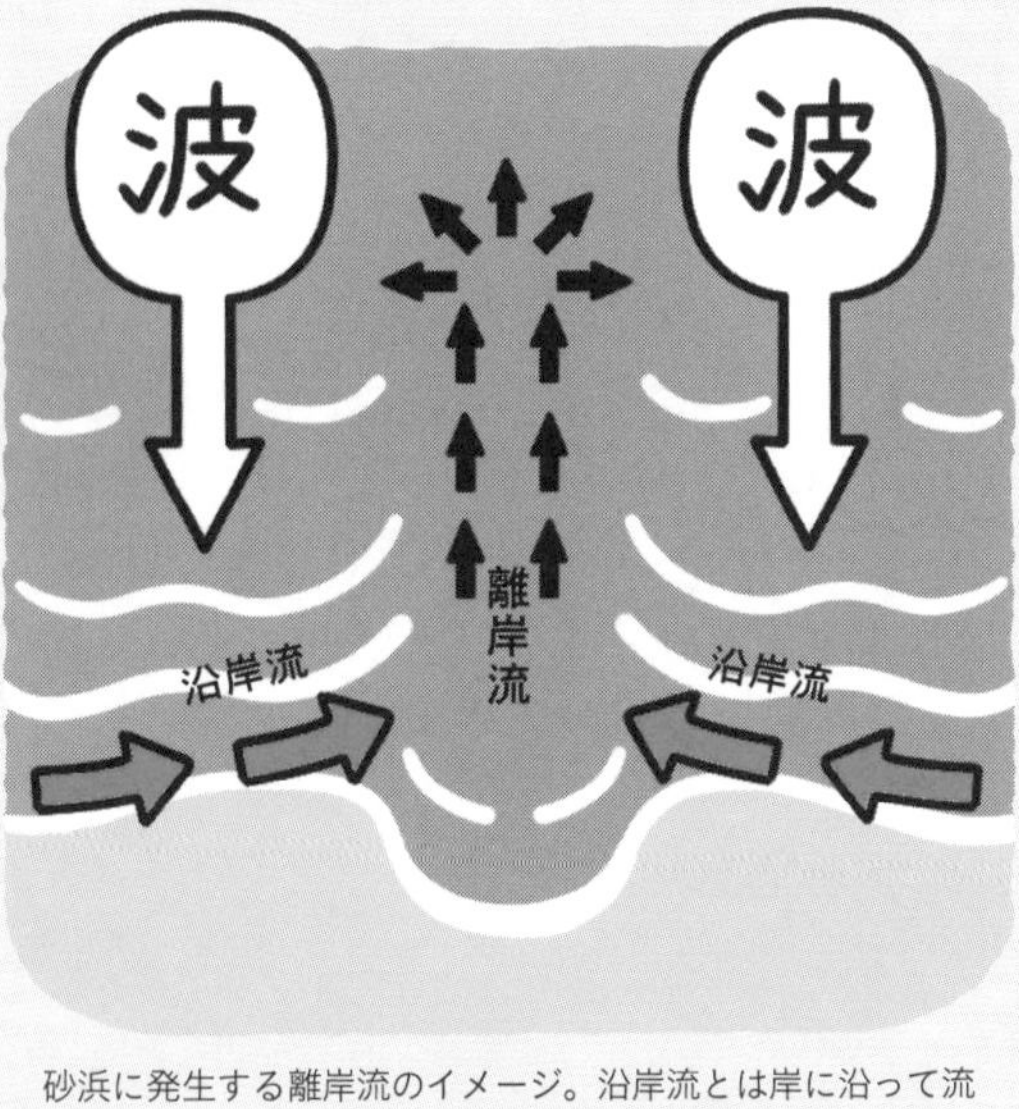

波
波
離岸流
沿岸流
沿岸流

砂浜に発生する離岸流のイメージ。沿岸流とは岸に沿って流れる流れのこと。離岸流の幅は10〜30m、長さ10〜100m程度で、波の高さが高くなるほど流れは早く規模も大きくなる

子どもが流されたらライフセーバーへ

離岸流に流されてしまった場合、離岸流をぬけるためには岸に沿って横に泳ぐなどと言われますが、岸まで泳ぎ着くのは困難です。流された場合は呼吸を確保することに努め（P47で紹介した「浮き方の例」も参照）、救助を待つのが賢明です。もし子どもが流されてしまったら、二次災害につながるので助けにはいかずに、ライフセーバーのいる海水浴場であればライフセーバーに（P56）、もしくは海上保安庁（118）か消防（119）に救助を要請します。水難事故は未然に防ぐことにつきます。海では子どもから絶対に目を離さず距離をあけないこと。ライフジャケットを着用し、海水浴に適した状況で遊ぶこと（P56）が基本です。

「逆潜流（ぎゃくせんりゅう）」にも注意

離岸流と並んで事故につながる事例が多いのが、砂浜に打ち寄せた波が海へ戻るときに発生する強く早い流れ「逆潜流」。海底の斜面に沿って足元に強い流れが起きるため、転倒し流されてしまいます。勾配のある砂浜は逆潜流が発生しやすいので注意。波の高い海には近づかないようにしましょう。

必ず海水浴に適した場所で泳ぐ

海は、日ごと時間ごとに天候などの理由で様子が変わります。前ページで述べた離岸流や逆潜流が起きている場所を、海に来るのは年に数回という人が見つけるのはむずかしいでしょう。

では、子どもと安全に海で遊べるのはどんな場所でしょうか。

- ●ライフセーバーが常駐している
- ●遊泳エリアがロープやブイなどで指定されている

このような安全管理がされた海水浴場では、波や風の状態を監視して、それらの情報を掲示し、危険な状態になれば遊泳が禁止になります。また、もし前ページでお話した離岸流で流されてしまうようなことがあっても、すぐに救助に向かうことができます。

日本ライフセービング協会のウェブサイトやスマホ用アプリ『Water Safty』では、ライフセーバーが活動している全国の海水浴場や海水浴場施設の情報を確認できます。海で安全に遊ぶためのハウツーを楽しく学べるコンテンツも発信されていますので、事前に情報をチェックして楽しい海での時間を過ごしたいですね。

着いたら、まずは海の状態をチェック

ライフセーバーがいる監視所に置かれていることの多いインフォメーションボードで、その日の海や風の状況を確認しましょう。直接、ライフセーバーに気をつける場所はどこか、波の様子などを聞くのもおすすめです。

準備体操をし、浮き具などを正しく身につけます。自分が海に入った場所をきちんと確認できるように目印を覚えておくことも忘れずに。海で泳いでいるときもこまめに自分のいる位置を確認することで、気づかぬうちに流されるのを防ぐことができます。

海に入る前に、ライフセーバーに海の様子、注意点などを聞いてみよう

きけん 11

河口(かこう)でおぼれる

8月下旬、神奈川県の河口付近の海岸で、男子中学生2人がおぼれ、1人は救助されましたが、14歳の男子中学生がおよそ1時間後に海底で見つかり、死亡が確認されました。河口付近は流れが複雑で危険なため、遊泳禁止となっていました。同じ河口付近では、過去にも水遊びをしていて沖に流された小学生2人が、サーフィンをしていた男性らに救助され、心肺蘇生で一命をとりとめた事故が起こっています。

死なないためには

危険だらけの河口には近づかない

河口付近は、川からの水と海からの水が混ざり合い、海の状況や、川の水量、地形によって変化する複雑な流れ「河口流(かこうりゅう)」が発生します。川が増水すると、河口付近の強い流れは沖合まで達し、河口流に波がぶつかると、周辺よりも波が大きくなります。川底や付近の海底も深くえぐれている場所があるなど、遊ぶには危険なため、立ち入りは厳禁です。

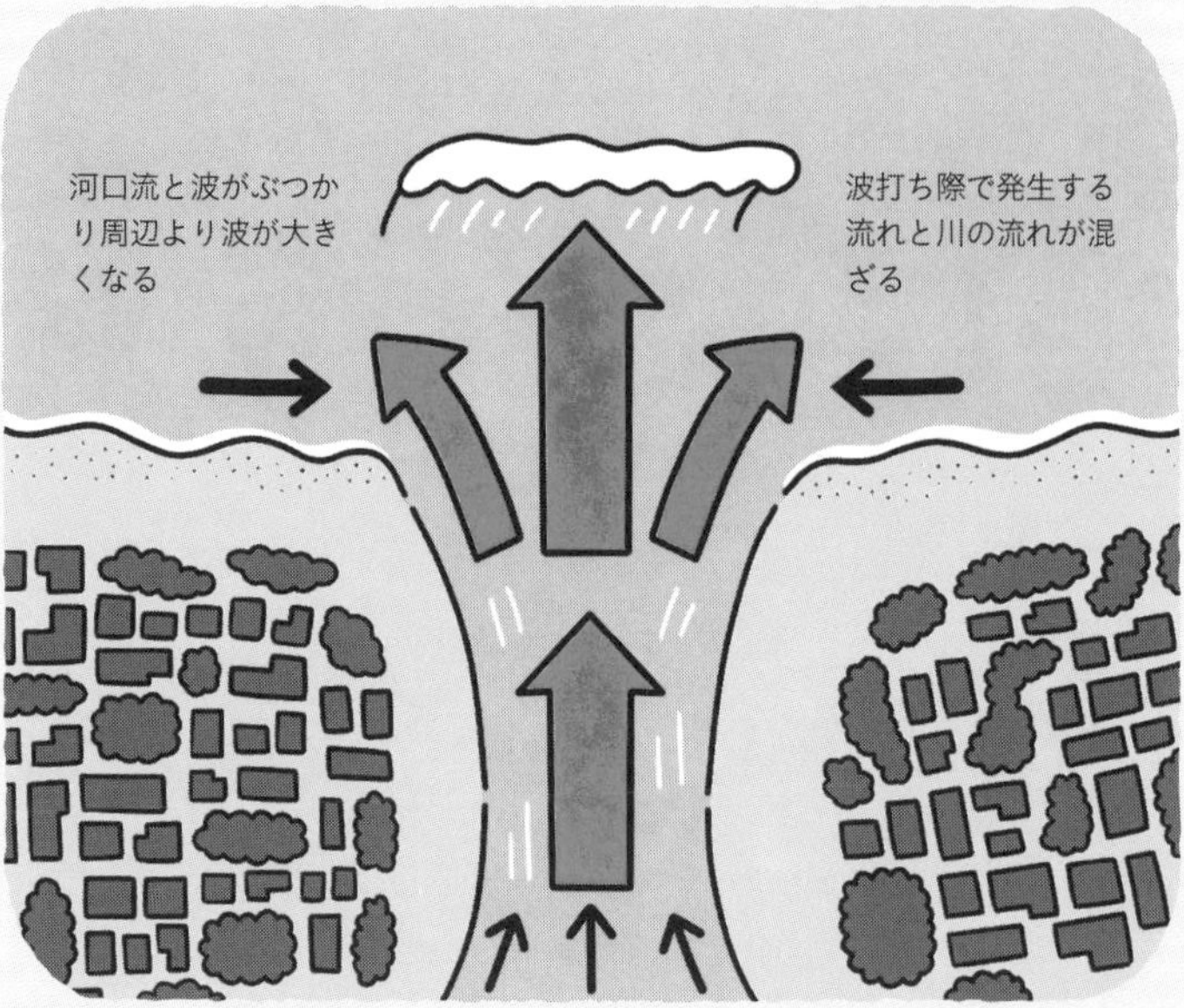

河口流と波がぶつかり周辺より波が大きくなる

波打ち際で発生する流れと川の流れが混ざる

川の水の流れで速くなる

きけん 12

浮き輪をつけたままおぼれる

8月上旬、福井県の海岸に家族で遊びに来ていた8歳の男の子が、浮き輪をつけたまま水面に顔をつけて動かなくなっているのが見つかり、病院に搬送されましたが死亡しました。死因は溺死でした。

事故が起きたのは、岩場のある海岸から約5mの場所で、男の子は、ライフジャケットも着用していました。どのような状態で男の子がおぼれたのかはわかっていません。

死なないためには

浮き具をつけていても目を離さない

浮き具をつけていてバランスを崩しひっくり返ったりすると、子どもだけでは起き上がることができずおぼれる原因となります。未就学児は大人の手の届く範囲、小学生はいざというときにすぐに子どもの体をつかめる距離で見守りましょう。ライフジャケットを着用したら、安全な場所で浮かぶことや動けることを体感してから遊ぶようにしましょう。

浮き具は追いかけない

風で流された浮き具を追いかけておぼれたり、戻れなくなる事故も起きています。海水浴場にある旗などを見て、陸から海に向かって風が吹いているときは、浮き具を使わない判断をする必要もあります。

陸から海に向かって風が吹いているときは、浮き具を使って遊ぶのはやめておこう

きけん
13

シュノーケルでおぼれる

7月下旬、沖縄県を家族で旅行中の8歳の男の子と母親が海岸から約20mの場所で、シュノーケリング中におぼれ、男の子は、心肺停止の状態で浜に引き上げられたあと病院に搬送されましたが死亡しました。ライフジャケットは着ていなかったとのことです。

事故が起こった海岸は、シュノーケルスポットとして知られる場所でもありますが、ライフセーバーのいない管理外の場所でした。

死なないためには

初心者はその海を熟知したプロの元で

シュノーケル中、とくに初心者に起こる事故の多くは、シュノーケルの中に溜まった海水を誤って飲んでしまうことでパニックになりおぼれてしまうケースです。シュノーケリングには、シュノーケルに溜まった水を吐き出す技術、シュノーケルクリアができることが必須。それには練習が必要です。マスクとシュノーケルは子ども用のサイズに合ったものを必ず選びましょう。マスクと顔の間にすき間ができると海水が入ってきてしまいます。シュノーケルクリアは、大人用のものでは肺活量が足りない子どもにはむずかしく危険です。また、フィンは体のコントロールができず慌ててパニックになる原因にも。

観光ガイドや口コミでシュノーケリングスポットとうたわれている場所の多くは、海水浴場として管理されておらずライフセーバーもいません。初心者、とくに子どもが一緒の場合、潮の流れをはじめそのエリアを熟知したプロのインストラクターの指導のもと、行ないましょう。

COLUMN

海水浴や磯遊びで注意する危険生物

カツオノエボシ

長い触手に強い毒をもつ。日本では太平洋沿岸に多く見られる。刺されると電撃を受けたような激痛があり「電気クラゲ」とも呼ばれる。痛みは長時間続く。二度刺さされるとアナフィラキシーショックを起こし死に至る危険も。青く透き通っていてきれいだが、死んだものも危険。絶対に触れないこと。

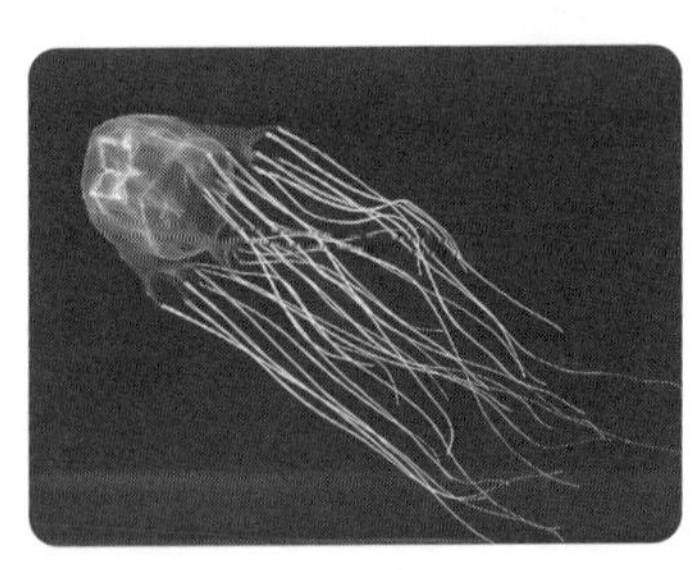

写真提供　沖縄県衛生環境研究所

ハブクラゲ

触れたときに触手に無数にある毒針が飛び出し毒を注入する。刺されると強い痛みがあり、ショック症状を起こすことも。南西諸島で海水浴シーズンに発生し、毎年多数の被害、また過去には子どもの重症・死亡事故も起きている。クラゲ防護ネットのない海水浴場では泳がないこと、肌の露出を少なくすることが大切。

オニダルマオコゼ

おもにサンゴ礁や岩礁域に生息するが、潮だまりにもいることがある。背びれ、腹びれ、尻びれに強い毒をもつトゲがあり、刺されると激痛と痙攣や麻痺などを起こし命にもかかわる。ゴツゴツした岩にそっくりで見分けがつかず誤って踏んで刺される事故が多い。背びれは、ゴム底の靴を貫通するほど硬い。

ウツボ

潮干狩りなどで、岩陰や岩穴に手を突っ込み、かまれる事故が起きている。歯はナイフのように鋭く一度かみつくとなかなか離さないため深い傷を負う危険があるが、臆病な性格でこちらから近づかないかぎり襲ってはこない。

アカエイ

ムチのようにしなる尾にある鋭いトゲに刺されると、強い痛みのほか、発熱、失神、呼吸障害などの症状が出ることもある。浅瀬で砂に埋まっているアカエイに気づかず踏んだり手をついたりして刺される事故が多い。

ゴンズイ

背びれと胸びれに毒のある鋭いトゲをもち、刺されると激痛が長時間続く。しびれや麻痺が生じたり、患部の周囲の組織が壊死した例もある。本州中部から南の比較的浅い海に生息する。死んでいても毒の効力は失われない。

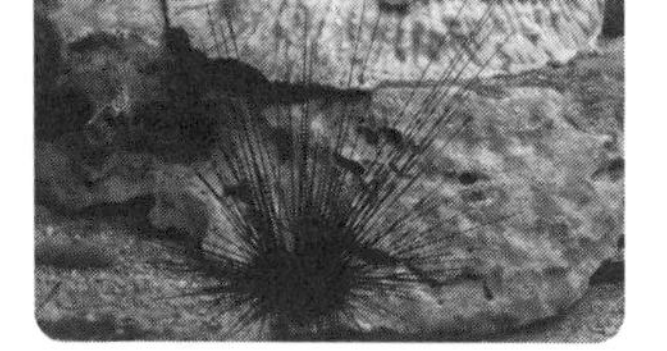

ガンガゼ

房総半島から南の浅い岩場やサンゴ礁の岩陰などに生息。長いものでは約30cmにもなる鋭いトゲを無数にもち、刺さると激しく痛み、腫れて化膿することも多い。トゲが折れてトゲが体内に残ってしまうこともある。

海への転落に要注意！
魚いるかな？
わっ
グラッ
ザブーンッ
助けて!!
あ！
大丈夫！まず落ち着いて周りを見渡して

足がつくところなのにパニックになっておぼれてしまうこともあるんだチュ〜
あっ
本当だ
足がつく！
足がつかない場合、しがみつくものはないか周囲を見渡してみましょう
ロープやはしごにしがみつくとか
しがみつくものがなければ呼吸を確保するあらゆる方法をとりましょう
やっぱり何よりも大事なのはライフジャケットを着ることチュ〜
わかったよ

海水浴はライフセーバーのいる海で

助けに行った人もおぼれてしまうことがあるチュ〜

海で流された人がいる場合海水浴場にいるライフセーバーに助けを求めましょう
今行きます
LIFESAVER

もう大丈夫だよ！

あぁよかった

陸から海に向かって風が吹いているときは浮き具は使わないほうがいいですよ
気をつけます…
ライフセーバーのいる海で泳いでいたおかげで助かったチュ〜

3章

山の危険

雄大な風景、四季折々の
自然を楽しめる登山やハイキング。
しかし、山には天候の急変、道迷い、
転落、落石などの危険がひそんでおり、
行く際にはしっかりした
準備と装備が必要です。
この章では、山に行く前に
知っておきたいきほんの備えに
ついて紹介します。

きけん
14
ひとりで先に行って落ちる

宮崎、鹿児島県境の韓国岳（からくにだけ）（1700m）で、10月下旬、家族と登山に来ていた11歳の男の子が、2合目付近で「先に行く」とひとり山頂に向かったまま行方不明になりました。2日後、8合目付近、登山道をはずれた約3～6m下の枯れた沢で見つかり死亡が確認されました。死因は低体温症でした。斜面を転落しケガをして動けなくなった可能性があります。入山した日は晴れでしたが、翌日は強い雨風で登山口付近の最低気温は7℃でした。

死なないためには

子どもを先に行かせない

初心者向きの山でも、子どもをひとりにする、大人より先に歩かせるのはＮＧです。また子どもにも、事前に一緒に登山用地図を見ながら、歩く予定のコース、注意する箇所、大人から離れないようにすることをしっかり伝えましょう。万が一はぐれてしまったら、できるだけ人の目につきやすい場所で動かずにいることを約束しておきましょう。

谷側を歩かせない

低山や初心者向きの山でも、登山道の谷側が崖になっている箇所があります。とくに小学校低学年ぐらいまでの子どもと歩く場合、大人が谷側を歩いてフォローし、子どもは山側を歩かせます。

下山時のリスクを考えた計画に

転滑落や転倒は、疲労で注意力が散漫になったときに起こりやすく、下山時に事故が多いのも特徴です。とくに子どもは、登りでオーバーペースになりやすい傾向があります。下山時に急斜面や危険な箇所を避けるコースにするのがポイント。下山時にロープウェイなどの乗り物を利用するのもおすすめです。

夏でも低体温症対策を

アクシデントで明るいうちに下山できなくても落ち着いて行動できるよう、日帰りでも

ヘッドランプはひとりに一つ持ちます。

標高の高い山に行く場合、夏でも防寒具を持っていきましょう。標高が100m上がるごとに、気温は0・6℃下がります。たとえば1000m地点で25℃だったとしても、2000mでは19℃、3000mでは13℃。風が吹くと体感温度はさらに低くなります。夏でも低体温症による死亡事故は、過去に何度も起きています。熱を生み出す筋肉量が少ない子どもは、大人に比べて低体温症になりやすい傾向があります。汗で濡れると、冷えて体力が奪われます。吸汗速乾性素材の登山用ウェアがあれば、安心で快適です。

レイヤリングの基本

ベースレイヤー
肌に直接触れるため、肌をドライに保つ吸汗速乾性のものを。素材がカナメ
アウター
雨や風から体温を奪わないように身を守る。登山用のレインウェアを携行しよう
ミッドレイヤー
おもに保温、汗、湿気を発散させる役割がある。季節によって長袖シャツやフリースなどをチョイス

山では体温調節をこまめにできる重ね着（レイヤリング）が基本。それぞれの役割にあったアイテムを選ぼう

晴れていてもレインウェアを持っていく

麓（ふもと）の街では晴れでも、山では雨ということも。晴れていてもレインウェアを持参します。観光地に売っているようなビニール素材の雨がっぱは蒸れるうえに、風にあおられてめくり上がってウェアが濡れてしまうため登山には向きません。上下セパレートタイプ、完全防水、透湿性（とうしつせい）素材の登山用のレインウェアは、外からの雨を防ぎ、内側の蒸れを外に出す仕組みになっています。防風、防寒も兼ねることができるため、子どもの普段の通園・通学、さらに防災用にも活躍します。

きけん 15

落石にあたる

8月上旬、北アルプス・奥穂高岳（3190m）と涸沢を結ぶ登山道「ザイテングラート」2600m付近で、8歳の男の子と祖父が落石を受け滑落、病院に運ばれましたが、ふたりとも死亡しました。落石を受けてバランスを崩した男の子を祖父が助けようとして、滑落したと見られています。ザイテンクラートはハシゴや鎖がつけられた岩場が続き、落石・滑落による事故が頻発しています。

死なないためには

危険箇所を知り、すみやかに通過

落石には人が起こしてしまうものと自然発生的なものがあります。落石の起こりやすい場所は、岩場、雪渓（せっけい）、ガレ場など。このような場所では、常に上部に注意をしながら、すみやかに通過します。上部に登山者がいるときは、その登山者の真下に入らないように。安全な場所があれば、登山者が通過するまで待機してもよいでしょう。

ヘルメットをかぶろう

頭に落石の直撃を受けた場合、ヘルメットをかぶっていれば、致命傷を防げる確率が高くなります。また、落石があたってバランスを崩し転滑落（てんかつらく）した際に、ヘルメットが頭を守り助かった例も多くあります。現在、日本アルプスをはじめ、転滑落、転倒事故の多い山や火山活動が活発な山では、ヘルメット着用の奨励地域に指定されています。ヘルメットは、登山用具店で相談し、頭を動かしたときにあたる箇所はないかをはじめ、フィット感をよく確認しましょう。

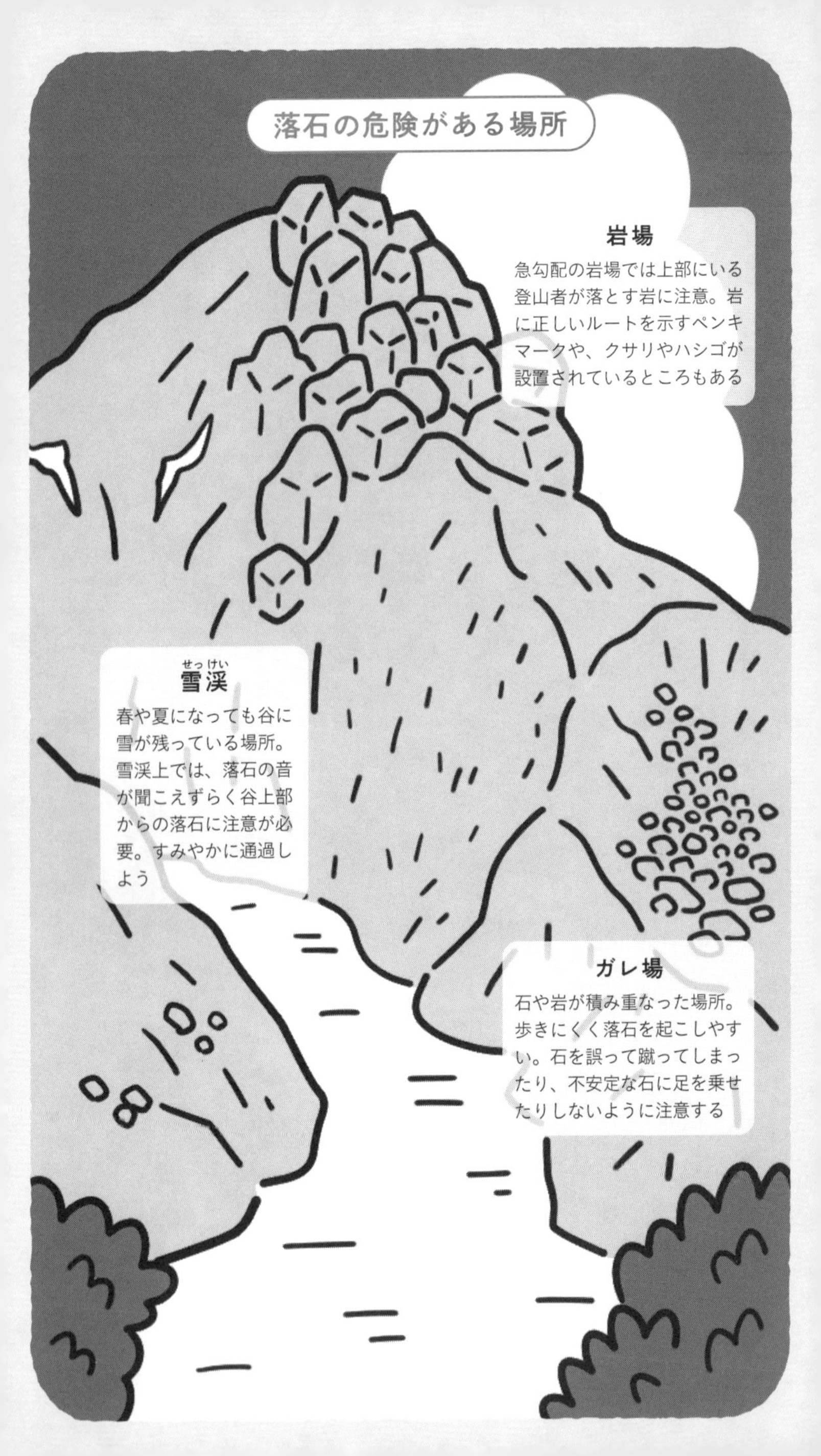
落石の危険がある場所
岩場
急勾配の岩場では上部にいる登山者が落とす岩に注意。岩に正しいルートを示すペンキマークや、クサリやハシゴが設置されているところもある
雪渓
せっけい
春や夏になっても谷に雪が残っている場所。雪渓上では、落石の音が聞こえずらく谷上部からの落石に注意が必要。すみやかに通過しよう
ガレ場
石や岩が積み重なった場所。歩きにくく落石を起こしやすい。石を誤って蹴ってしまったり、不安定な石に足を乗せたりしないように注意する

落石を起こさない

自分が不注意で落としてしまったひとつの石が、大きな落石を誘発することも。岩場・ガレ場では、小さな石でも落とさないよう、慎重に足を運びます。浮き石（グラグラとする不安定な石）に足を乗せないようにしましょう。岩場やガレ場などでは子どもがコースを外れないように、より一層注意が必要です。また、落とすと人に当たったり落石を誘発する危険があるため、サイドポケットに入れている水筒などはバックパックの中にしまうか、しっかりとベルトをしめましょう。

もし、石を落としてしまったら

万が一、自分が石を落としてしまったら、すぐさま周囲に知らせる必要があります。ほかの箇所で起きた落石に気づいたときも同様ですが、大きな声で「ラク！」と何度も叫んで、少しでも安全な場所で身を守ります。

きけん 16

道に迷ってしまう

5月上旬、新潟県の標高900m前後の低山が連なる山に向かった父親と6歳の男の子が下山せず、約3週間後、登山道から約1・5km離れた沢沿いで死亡しているのが見つかりました。死因は低体温症でした。この山域では、この時期例年残雪があります。ふたりは、道を誤り迷って沢を下ったと見られています。当初家族からの情報があった山を中心に捜索が行なわれましたが、別の山での目撃情報が寄せられ捜索範囲を広げていました。

死なないためには

低山の道迷いの危険を知ろう

道迷い遭難は、けわしく山深いところだけではなく、町に近い標高の低い山にも危険が多くひそんでいます。低山には、林業などで使う作業道やけもの道が交差していたり、現在は使われていない廃道が混在していたりする箇所が多く、迷い込みやすいのです。残雪や落ち葉で本来の登山道が隠れてしまっていることもあります。登山には地図、コンパス、地図アプリは必携で、その使い方をマスターしておくことが大切です。できれば子どもと一緒に学ぶとよいですね。

おかしいなと思ったら引き返す

おかしいなと思っても、下ればなんとかなるだろうと楽観的な方に思い込もうとする心のメカニズムが人には働きます。この思い込みが、事態を一層深刻化させてしまいます。分岐ごとや休憩のたびにこまめに登山用地図や地形図で現在地を確認しながら進みましょう。「間違えているかも」と思ったら、確実に合っている地点まで引き返すのが基本です。

沢を下らない

迷ったときに下りたくなるのが沢ですが、これは絶対にNG。沢はやがて滝や崖があらわれます。そこを無理に下ろうとして転滑落し動けなくなる事例が多いのです。つらくてもピークや尾根を目指して登り返します。

現在地の確認には地図とコンパスを使いますが、スマートフォンに登山用地図アプリを入れておくと、GPS機能で歩いたルートが記録できたり、現在地が地形図上に表示され便利です。アプリを使う場合も、バッテリー切れに備え紙の地図との併用がおすすめです。

登山用地図アプリは、事前に地図をダウンロードしておく必要がある。予備のモバイルバッテリーの携行も必須だ

登山計画書をつくり家族と共有する

登山者やその家族などから救助要請があった場合、登山計画書に行程などが正確に記されているかが、救助、捜索(さうそく)の初動を左右します。登山装備の一つと考えましょう。登山計画書は、所轄(しょかつ)する警察署にメールでも事前に提出でき、登山用地図アプリから登山計画書をつくり提出できるシステムと連携している都道府県もあります。提出用とは別に、家族や近しい人に一部渡していくのも忘れずに。行動予定を共有し、帰宅予定日時も伝えておくことが遭難時の早期発見につながります。

御中

登山計画書(届)

所属
団体名
代表者
代表者住所
代表者電話

緊急連絡先
住所
電話(昼)
(夜)
救助態勢　有・無

目的の山域・山名						登山形態
役割	氏名	生年月日 年齢	性別	血液型	現住所 電話・携帯電話(登山時携帯している場合)	緊急連絡先(関係) 電話、または住所

山行期間　年　月　日～　年　月　日(ほかに予備日　日)

行動予定

月　日	
月　日	
月　日	
月　日	
月　日	
月　日	
月　日	
月　日	

エスケープルート(計画変更時の緊急下山ルート)

基本食料　朝食　食分、昼食　食分、夕食　食分
予備食　朝食　食分、昼食　食分、夕食　食分
非常食
テントなど　テント　人用　張、　人用　張／ツエルト　張
コンロ(カートリッジタイプ)　台／燃料カートリッジ＝大　個、普通　個、小　個
コンロ(ホワイトガソリン・灯油タイプ)　台／燃料　ホワイトガソリン・灯油　ℓ
その他の火器
トランシーバ　MHz　台、携帯電話　台、ラジオ　台
クライミングロープ(または補助ロープ)　直径　㎜×長さ　m　本、直径　㎜×長さ　m　本
スコップ　本、スノーソー　本、ビーコン　台、ゾンデ　本
アイゼン　台、軽アイゼン　台、ピッケル　本
備考(その他の装備など)

登山計画書(届)記入上の注意

＊記入の際はこのページをコピーして使用のこと。
＊[所属][団体名]は、山岳会に所属していなければ無所属と記入する。
＊[目的の山域山名]は、具体的に北アルプス・槍ヶ岳など。[登山形態]は、山小屋泊まり縦走、テント泊縦走、テント定着、登攀、スキー登山などと記入。[役割]は、CL(チーフリーダー)、SL(サブリーダー)、装備、食料、気象などとし、参加者の[氏名]など、読みづらいものにはふりがなをつける。
＊[行動予定]はできるだけ[illegible]、[エスケープルート]の欄も必ず記入する。その他、持っていれば、アマチュア無線のコールサインなども記入する。
＊メンバーが多い場合や日程が長い場合は、用紙をコピーして、全メンバー、全日程を記入する。

登山計画書（届）の提出先

＊登山エリアに該当する都道府県警察本部地域課へ提出。入山7日前までが望ましい。各警察の所在地、電話番号は本書の各エリアを参照。
＊山岳会や家族など身近な人にも渡しておく。
＊おもな登山口では登山届提出所（またはポスト）を、夏山、冬山シーズンに設けたり、常設している。あらかじめ書いたものをポストへ投入してもよい。なお、下山届は通常は不要。

登山計画書には、氏名、緊急連絡先、行程、エスケープルート、装備などを記入する。登山計画書作成アプリの、山と自然ネットワーク「コンパス」は、連携している一部の警察に、作成と同時に提出できる

きけん
17

崖崩れにまきこまれる

7月下旬、長崎県の多良山系にある渓谷沿いの遊歩道で幅約20m、高さ約10mにわたる崖崩れが起き、8歳の女の子と母親が巻き込まれ死亡しました。この地域では、7月の降水量が平年の倍以上に達し、事故前日には1時間に50・5㎜の激しい雨を記録、地盤がゆるんでいたと考えられます。当日の天候は曇りときどき雨、事故が起こった15時ごろ雨は降っておらず、立ち入り規制などはとられていませんでした。

死なないためには

晴れていても、過去の天候を確認

大雨、台風、集中豪雨などの悪天候のときは、山間部での行動は控えましょう。当日晴れていたり、雨が降っていなかったとしても、それまでに降った雨で地盤がゆるんでいることがあります。また、上流で降った雨はやがて下流へと集まるため、土砂崩れや崖崩れが起こる危険性は、時間がたつにつれて高まる場合もあります。上流域の天候チェックが重要です（第1章P30も参照）。

とくに山間部のハイキングや渓谷沿いの遊歩道などを歩く場合は、その地域の10日間程度の天候、降水量、警報情報などをチェックしましょう。気象庁のウェブサイトで都道府県・地点ごとの過去の気象データを調べることができます。

また、近年頻発している線状降水帯（せんじょうこうすいたい）、ゲリラ豪雨などの影響で、林道、登山道が崩れたり、土砂崩れが起きたりなどの被害が各地でたびたび起こっています。登山や山間の観光地へ出かける際は、地元自治体のウェブサイトなどで最新の情報をチェックしましょう。

きけん
18

火山ガスを吸ってしまう

6月中旬、青森県の八甲田山（1585m）で、タケノコ採りに来ていた13歳の女子中学生と母親が突然しゃがみこみ、女子中学生は心肺停止状態に。その後死亡しました。母親は病院に搬送後回復しました。女子中学生が倒れたのは登山道からはずれた沢沿い。その後の調査で、周辺に火山ガスの硫化水素の噴気孔が複数確認されました。事故当時はほぼ無風で、空気より重い硫化水素が女子中学生がいた場所に流れ込んだと見られています。

死なないためには

活火山大国・日本の噴火リスクを知る

現在、噴火や火山ガスの危険があるとされている山には、安達太良山（あだたらやま）、北アルプス・立山（たてやま）など登山に人気の山も多くあります。そうした場所では火山ガスの発生状況が観測され立ち入り禁止の掲示などがされていますが、悪天候時など、誤って登山道をはずれてしまうと大変危険です。危険な箇所には近づかないよう細心の注意を払いましょう。

火山ガスは目では確認できない

火山ガスで危険なのは、硫化水素、二酸化硫黄（いおう）、二酸化炭素。いずれも無色透明です。硫化水素は硫黄の匂い、二酸化硫黄は鼻にツンとくる刺激臭がしますが、濃度が濃いガスを吸うと嗅覚が麻痺することも。二酸化炭素は無臭です。体が小さい子どもは、呼吸が速く肺の比率も大きいため、大人よりも火山ガスの影響を受けやすいと言われています。また、火山ガスは空気よりも重いため、周囲より低いくぼ地などにたまりやすく、とくに無風のときは拡散しにくいので危険です。

きけん 19

噴火にあう

9月下旬、長野県、岐阜県境の御嶽山（おんたけさん）（3067m）が噴火。登山者ら63人が死亡・行方不明となる戦後最悪の噴火災害となりました。犠牲者のなかには、家族らのグループで登山をしていた11歳の女の子、父親と登っていた10歳の男の子も含まれます。犠牲者の多くが山頂・山小屋の周辺で見つかっており、数百メートル離れた火口から大きな噴石が約1㎞の範囲で飛散、死因の多くは噴石（ふんせき）が当ったことによる多発性外傷でした。

死なないためには

活火山大国・日本の噴火リスクを知る

日本にある111の活火山のうち50の火山が24時間体制で観測・監視されています。さらに周辺に住民がいたり、登山対象となっている49の火山については、火山活動の状況に応じて「警戒が必要な範囲」と防災機関や住民らが火山災害から身を守るための対応を5段階に区分した指標「噴火警戒レベル」が運用されています（2024年4月30日現在）。

入山規制が行なわれているエリアには立ち入らないようにしましょう。

気象庁ウェブサイト内「火山登山者向けの情報提供ページ」では、1週間以内に噴火警報をはじめとした情報を発表した火山について詳細が掲載されています。登山を計画する際は、登る予定の山が「噴火警戒レベル」運用対象の山か確認し、最新の情報を忘れずにチェックしましょう。

浅間山（あさまやま）(長野県・群馬県)など一部の山では、噴火時に退避するシェルターが設けられていますが、噴火警戒情報が出されている山への登山は、中止を含む計画の変更が必要です。

きけん
20

スキーで木にぶつかる

2

月下旬、石川県のスキー場で、家族とともに訪れていた11歳の男の子が林道コースを走行中に、コース外の木に衝突しました。意識不明となり、ドクターヘリで病院に搬送されましたが、首を強く打っており、その後死亡しました。

北海道では3月下旬、競技スキーの合宿中だった10歳の女の子が、練習後、仲間と下山する最中に何らかの理由でコースをはずれ、立ち木に衝突し死亡する事故が起きています。

死なないためには

自分に合ったレベルのゲレンデで

立ち木に衝突する死亡事故は、大人、スキー、スノーボードも含めると2022~2023シーズンからの過去5シーズンだけでも、10件起きています（『スキー場傷害報告書』全国スキー安全対策協議会発行による）。他の人との衝突を避けようとバランスを崩す、スピードの出しすぎによるものなど要因はさまざまですが、スキー（ボード）コントロールやスピードコントロール、停止の技術などの点で、子どもと保護者の自分に合ったレベルのゲレンデで滑りましょう。また、転倒や衝突時の衝撃から頭部を守るため、ヘルメットの着用が推奨されています。

また、大人のスノーボーダーの死亡事故例ですが、立木の激突と同様に毎年見られるのが、新雪に頭から埋まってしまうことによる窒息事故。圧雪されていないエリアやバックカントリーでは、転倒した際に新雪に埋もれ脱出できなくなってしまうことがあります。安易に非圧雪エリアに立ち入らないようにしましょう。

きけん
21

高山病にかかってしまう

7月上旬、父親と北アルプス・蝶ヶ岳（2677m）に登っていた16歳の男子高校生が、高山病が原因と見られる肺水腫で死亡しました。

ふたりは、徳本峠から入山、テント泊で大滝山荘をへて蝶ヶ岳を登り、その日のうちに長塀尾根を下山しましたが、その途中で男子高校生が歩行困難となり、2200m付近でテントを張ってビバークしました。深夜、大きないびきをしている高校生を父親は起こそうとしましたが反応はなく、昏睡状態だったため、救助を要請。山小屋から向かった救助隊が到着したときには心肺停止の状態で、長野県警のヘリで病院へ搬送後まもなく死亡が確認されました。

この事故をきっかけに、蝶ヶ岳に開設されている「名古屋市立大学蝶ヶ岳ボランティア診療所」では、診療所の存在を周知し、高山病の症状が出ている人を早期に発見し重症化を防ぐために、積極的に登山者に声をかけるなどの取り組みをはじめました。

死なないためには

普段と違う様子がないか見守って

標高が上がり酸素が少なくなった影響で発症する高山病。症状は、頭痛、吐き気、めまいやふらつき、食欲不振など。重症化すると肺水腫（はいすいしゅ）や脳浮腫（のうふしゅ）を引き起こし、命に関わることも。一般的に標高2000m以上から起こるとされています。子どもは高所の影響をうけやすく、症状を言葉にして伝えられないことも多いので、元気がない、食欲がないなど、いつもの様子と比べておかしいところはないか見てあげる必要があります。

回復しない場合は、標高を下げる

高山病防止にはろうそくを吹き消すように息を吐き、深くゆっくり息を吸うことを意識、努めてスローペースで歩き、体を標高の高い環境に慣らしていくこと。ロープウェイなどで一気に標高を上げた場合は、なおさら深い呼吸とスローペースを心掛けます。高山病の症状が出たら、水分を多くとって安静に。症状が治まらないときは標高を下げるしかありません。早めに判断して下山しましょう。

高山病の症状は熱中症と見分けるのはむずかしい。どちらも、子どもの場合は脱水とセットで症状が出やすいため、こまめな水分補給を

寝ると呼吸が浅くなり高山病の症状を悪化させるので、宿泊地についてからすぐ横にならず座って休もう

子どもの場合、普段と比べて様子がどうか注意を払う必要がある。症状が出たら下山することを想定した早めの判断が大切だ

山のアクシデント集
天気がいいから○○山に行ってみるか！
ブーン
低い山だし登山者も多いって聞くしなんとかなるだろう
渋滞で登山口に着くのが遅くなっちゃった
もうお昼だ
登山口

あっ
あれ
登山道の
目印かな
こっちに
進んで
みよう！

あれ？
間違えた
みたい
一度
戻ろう…
このテープが
示すのは
林業用の
作業道だった

時間をロス
したから
予定を変更
したいけど
どのコースを
行けば…
?
地図を
もっておらず、
山全体の
コースが
わからない

ひぃ～
やっと
着いた
ん？

ひぇ～
せっかくの
山頂なのに
天気悪くて
なにも
見えない!!

下山中に突然の雨とカミナリ
ピカッ
ザーッ
ぎゃーっ
雨がっぱが役に立たない…
ザーッ
寒い…
行きにコンビニで雨がっぱ買ったけど
ひえ〜
ザーッ
ザーッ
汗と雨でびしょびしょで気持ち悪い
着ない方がましだった〜!

あぁ…暗くなってきた〜

日帰りだと思ってライトを持ってきてない!
コワイー

なんとか下山できた～
ハァハァ
登山口
…ってことが昔あったんだ
だから山登りにはしっかりした準備と装備が必要なんだ
へ～っ
山に行くのにヘッドランプに山用のレインウェアそれに地図は絶対必要だチュー！
RAIN WEAR
HEAD LAMP
MAP
わかったよ
きちんと安全対策をして山を楽しもうチュー
ハーイ

4章

身近な外の危険

この章では、校庭や公園など身近な
場所で出会う危険を紹介します。
これらの場所へは、子どもたちだけで
出かけることも多いので、
この章に書いてあることは、
とくに子どもと一緒に確認して、
危険を避けて安全に
楽しく遊べるようにしましょう。

きけん
22
熱中症で倒れる

7月下旬午前11時ごろ、山形県の13歳の女子中学生が、部活動後に自転車で帰宅途中、ヘルメットをつけたまま意識不明の状態で倒れているのが見つかり、病院に搬送されましたが死亡しました。当日、その地域の最高気温は35・5℃と猛暑日で、熱中症が原因だったと見られています。

女子中学生は午前8時半から10時前まで部活動に参加、顧問の教員によると、水分補給を約20分おきに指示し、気温の上昇を考慮して練習を早めに切り上げたということです。部活動中、気温や湿度、日ざしの強さなどの影響をもとにした熱中症の危険度の指標「暑さ指数」(WBGT)は測定されていませんでした。

2005年度〜2022年度、学校管理下に起きた熱中症で死亡した子どもは25人。高校生19人、中学生5人、小学生1人。25人のうち21人は、部活動中に熱中症を発症していました(※)。

※災害共済給付制度(全国の学校等の児童生徒の約95%が加入/2022年度)を運営する日本スポーツ振興センター公開のデータによる(2024年1月25日現在)

死なないためには

熱中症の危険が大きい状況を知る

熱中症は、気温の高さだけではなく、湿度が高く、日差しや地面からの照り返しなどの環境で危険度が高まります。暑さ指数（WBGT）28～31は「厳重警戒」で激しい運動は避ける、暑さ指数31以上で、運動は原則中止（とくに子どもは中止するべき）とされています（日本スポーツ協会が定めた「熱中症予防運動指針」による）。

夏の炎天下のような環境では、汗による発汗機能が十分ではない思春期前の子どもは、深部体温が上昇しやすく熱中症の危険が増します。熱中症の危険度の指標、暑さ指数が28を超える日は、炎天下での運動、遊びは避けましょう。

学校管理下の熱中症による死亡事例でもっとも多いのは、中学・高校の部活動中の事故。部活動中の管理は顧問にゆだねられているケースが多く、そのリスクを過少評価している事例も少なくありません。暑さ指数をはじめ、登下校の移動手段や距離、環境を考え、子どもと保護者の判断で休むことも必要です。

熱中症の症状が出たら

めまいや立ちくらみがする、手足がしびれる、吐き気がする、頭痛、倦怠感などが熱中症の症状です。症状が出たら涼しい場所に移動して体を冷やし、水分、塩分を補給します。必ず誰かが見守り、症状がよくならなければすぐに病院へ。水を自分で飲めない、呼びかけても返事がおかしいといった場合は迷わず救急車を呼びましょう。自分の体調が悪くてもそれを言えず、運動を続けてしまう子どももいます。体調が悪ければ先生や友だちに訴える必要性を子どもに教えましょう。

涼しい場所で休ませ、氷や濡れタオルで、太い血管のある脇の下、首筋、足の付け根を冷やし、あおぐなどして体を冷やす。急速に冷やしたいときは水道水を体にかける

雷に打たれる

8月上旬、午後1時ごろ、愛知県の高校グラウンドで野球部の練習試合が行なわれていたとき、ピッチャーとしてマウンドに立っていた17歳男子高校生が落雷を受け、心肺停止の状態で病院に搬送されましたが、翌日死亡しました。落雷が起きる前、雨が降ってきたため、試合は一旦中断したものの、約20分後に雨もやみ、晴れ間が出てきたため試合は再開。その直後、稲光とともに落雷が男子生徒を直撃したと見られています。当時、遠くで雷鳴が聞こえていたとのことです。

事故が起きた日、南から流れ込んだ湿った空気と上空の寒気の影響で大気が非常に不安定な状態で、名古屋地方気象台から愛知県全域に雷注意報が出されていました。

また、埼玉県では、母親と11歳の女の子が雨宿りをしていた木に落ちた雷の側撃を受け、女の子が死亡する事故も起きています。

死なないためには

雷雲のサインを見逃さない

人に落雷する危険が最も大きいのは、グラウンドや屋外プール、河川敷や砂浜などの開けた場所。こうした場所に行くときは、雷注意報が出ていないか天気予報を必ずチェックしましょう。天気予報アプリで、スマホから雷の予報と実況を確認することもできます。

雷雲の大きさは10㎞程度ですが、いくつかの雷雲が連なっていることも。少しでもゴロゴロと聞こえたら、次の瞬間に自分のいる場所に雷が落ちる可能性があります。すぐに安全な場所、コンクリート製の建物の中、車の中、電車の中に避難しましょう。雷雲が近づいているサインを見逃さないことも大切です。黒い雲が出てきて暗くなる、冷たい風が急に吹いてくる、このようなときもできるだけ早い避難が必要です。

落雷による事故で直撃の次に多いのが、木に落ちた雷の側撃を受けたことによるもの。そのとき雷が鳴っていなくても、木の下、軒先などにいるのは危険です。木の幹、枝から最低4ｍ以上離れましょう。

もし、近くに安全な場所がなかったら

もし周囲に安全な場所がない場合は、電柱、鉄塔などの高い建物のてっぺんを45度以上の角度で見上げる範囲で、その建物から4m以上離れた場所でうずくまるなど身を低くし、退避姿勢をとります（下の図参照）。近くに落雷があった場合、地面を伝って電流が流れるので、地面との接地面はできるだけ小さく、寝そべるのはNGです。カサなどの持ち物は自分の頭より上に突き出ないようにします。

子どもだけでいるときに、このような退避姿勢をとるのは現実的にむずかしいでしょう。

とくに学校の下校時間である午後2時～4時の時間帯に雷の危険が重なることが多いため、下校の際に雷が鳴っていなくても、雷雲が近づいていたら学校で待機することを話しておきましょう。また、通学路途中で安全な場所はどこかを、子どもと一緒に確認しておくことが大切です。

なるべく低い姿勢で、カサは持たないように。退避姿勢は最終手段。屋外で雷にあわないよう安全な場所で待機するようにしよう

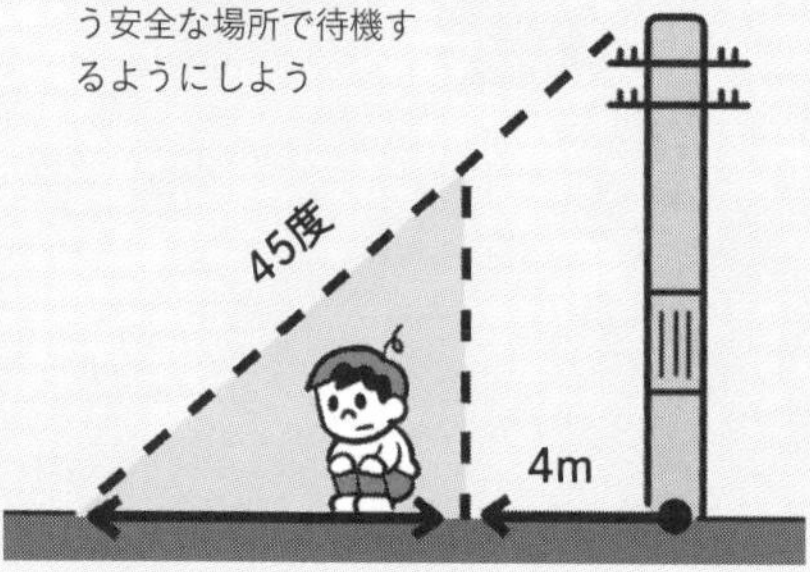

きけん
24

ランドセルが遊具にはさまる

石川県の公園で、小学1年生の男の子がランドセルを背負ったまま、うんていの上に乗って遊んでいたところ、ハシゴ状のパイプのすき間（約40㎝）に足から転落。ランドセルがパイプに引っかかり、男の子の首もその前方のパイプに引っかかった状態で宙づりになっている状態を近所に住む人が見つけ、病院に搬送されましたが、死亡しました。首が圧迫されたことによる窒息だったと見られています。

死なないためには

ヒモのあるものは身に着けない

水筒、リュック、ランドセル、自転車用ヘルメットのヒモなどが遊具に引っかかり、首を圧迫してしまうことによる窒息事故は繰り返し起きています。遊具に引っかかるおそれのあるものは身に着けて遊ばないと子どもと約束しましょう。洋服のヒモやフードが遊具やドアノブに引っかかる事故も起きています。フードやヒモは、あらかじめ取り外します。

ヒモのついたものは遊ぶときにはずす。フードのついた洋服も注意が必要

きけん

25

サッカーゴールが倒れる

福岡県の小学校校庭で、小学4年生の男の子が体育の授業でサッカーをしていたとき、自分のチームが得点を決め、喜んでゴールの枠にぶら下がったところ、ゴールが倒れ下敷きになり死亡しました。過去にも、サッカーやハンドボール用のゴールにぶら下がって倒れたゴールの下敷きになる事故、強風でゴールが倒れたことによる事故は複数回起きており、文部科学省からは、事故防止のためゴールを固定するなどの通達が出されていました。

死なないためには

「1人ぶら下がるだけでも倒れる」と知る

産業技術総合研究所による実験で、中学生がゴールにぶら下がったときにかかる力を計測したところ、ゴールは1人ぶら下がっただけで、容易に転倒することがわかりました。

サッカーゴールが転倒した際、アルミ製の場合1・8トン、鉄製で3トン程度の力が発生します。ゴールの転倒が、致命的な事故につながることがわかります。

強風時も危険

風にも注意が必要です。強風時風速30m／秒では、約100kgの力がかかりゴールが倒れる恐れがあります。杭や重りを使って固定するのがよいのですが、ゴールを移動しなければいけないケースも多くあるようです。子どもたちには、ゴールが倒れる危険を理解させ、ぶら下がらない、跳びついて揺らさない、風が強いときには近づかないということをしっかりと伝えましょう。体育などの際、ゴールの移動が必要な場合は、必ず指導者がつき安全を確保したうえで行ないます。

きけん 26

スライディングで破傷風(はしょうふう)に

北海道で13歳の男子中学生が野球のスライディング時に右手首を骨折、出血などの外傷はありませんでしたが、治療を受けた4日後、破傷風に特徴的な口が開けにくくなるなどの症状が見られたことから破傷風が疑われ入院し、12日後に無事に退院しました。男子中学生は、ジフテリア・百日(ひゃくにち)せき・破傷風混合ワクチン（DPT）の第1期は受けていましたが、第1期の追加、11歳～12歳で接種する第2期（DT）が未接種でした。

死なないためには

母子手帳で接種歴を確認しよう

破傷風は、破傷風菌に感染して引き起こされ、全身の筋肉が硬くなり、けいれんを起こし、重症化すると最後には、呼吸ができずに死に至る致死率約50%のおそろしい感染症です。土の中をはじめ広くどこにでもいる菌でおもに傷口から入り込んで感染します。日本では2024年4月現在、破傷風、ジフテリア、百日せき、ポリオ、ヒブ感染症を予防する5種混合のワクチンが定期接種となっており、生後2カ月から3回、約1年後に4回目、11歳～12歳で2期の接種（1回・2種混合）がすすめられています。決められていた接種を受けていないと破傷風の発症を防げないため、母子手帳で予防接種歴を確認、未接種の場合はワクチンの接種を受けましょう。

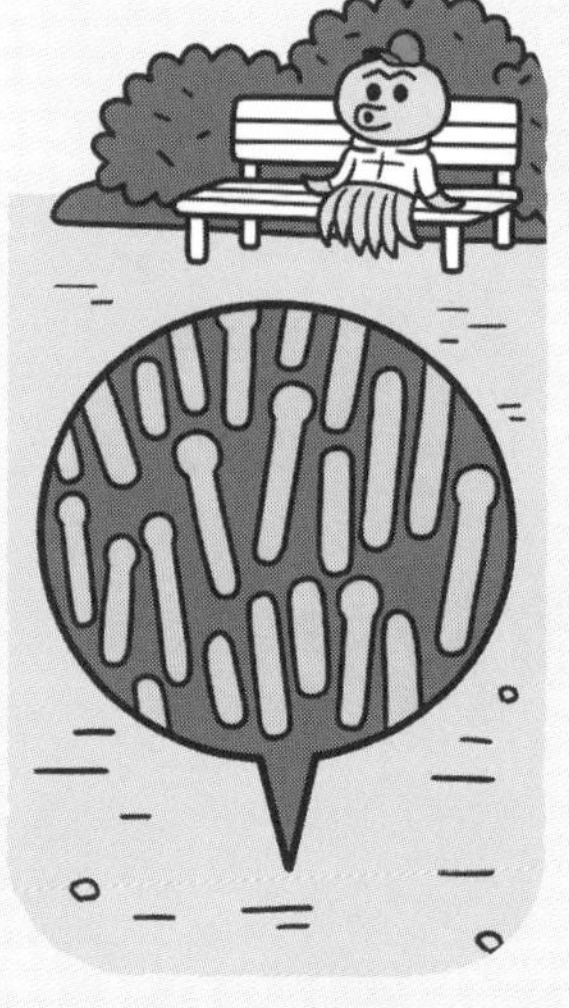

破傷風菌は土の中など
どこにでもいる菌だ

きけん

27

毒ヘビにかまれる

兵庫県で、10歳の男の子が公園で友人と遊んでいたところ、毒ヘビのヤマカガシにかまれ一時意識不明の重体になりました。男の子は夕方帰宅しましたが、夜になっても出血が止まらず、母親が119番に通報、病院に搬送されました。血清を打つなどの治療を受けたところ、翌日の午後には意識を回復、一命をとりとめました。ヤマカガシは、ふたりが遊んでいた公園の近くを流れる川から入ってきたと考えられます。

死なないためには

ヘビの好む場所にむやみに入らない

日本に生息する代表的な毒ヘビには、ニホンマムシ、ヤマカガシ、ハブ（南西諸島に生息）が挙げられます。草地や草むら、田畑、山地、川などの水辺、ときには人家近くの公園などにも生息します。ヘビの攻撃範囲は、体長の約2/3と言われ、ニホンマムシは約30㎝、ハブとヤマカガシは約1・5m以内に近づかなければヘビの方からかんでくることはほぼありません。怖いのは、ふいに草むらに入ってヘビに触れたり踏んでしまったりすること。草むらなどでは足元に注意して、むやみに入らないようにしましょう。

ニホンマムシやハブの毒は、筋肉などの組織を壊死させ、重い後遺症が残ることもあります。ヤマカガシの毒は、出血を止まらなくする作用があり、皮下出血や脳内出血、内臓出血などを起こします。

ヘビにかまれたら、119でヘビにかまれたことを伝え、一刻も早く医療機関へ。ヘビ毒は種類によって血清が異なるので、ヘビの特徴を伝えると治療の際に役に立ちます。

きけん
28
毒キノコを食べる

父親、母親と4歳の男の子が愛知県の植物園で白いキノコを採り、スープや炊き込みご飯にして食べたところ、6時間後に吐き気、下痢などの症状が出たため病院に搬送されました。最初に治療した病院では、胃洗浄はじめ毒物の除去が行なわれず、男の子の症状が悪化、3日後に死亡しました。父親と母親は転院して治療しましたが、母親も死亡しました。食べたのは、猛毒のドクツルタケかシロタマゴテングタケと見られています。

死なないためには

毒キノコの危険性を知る

日本で中毒事故が多く起きているのは、ツキヨタケ、クサウラベニタケ、カキシメジで、食べると嘔吐、下痢、腹痛などを起こします。猛毒をもつドクツルタケは、大人が1本食べると死に至る可能性があります。食後6〜24時間後に嘔吐、下痢、腹痛、数日後から内臓の細胞が破壊され肝臓、腎臓機能障害、胃腸からの出血などを引き起こします。

素人は採らない、食べない

クサウラベニタケはホンシメジに似ているなど、上記で挙げたような毒キノコは、見た目がそっくりな食用のキノコもあります（P120）。その見分けはとてもむずかしいため、素人は野外でキノコを採ったり食べたりするのは、絶対にやめましょう。

公園や学校の校庭、人家の庭でも見かけ、食用のカラカサタケによく似ているオオシロカラカサタケ、毒性の強いカエンタケなど、近年分布範囲を広げている毒キノコにも注意が必要です。

COLUMN

これだけは覚えたい 毒キノコ

写真：大作晃一

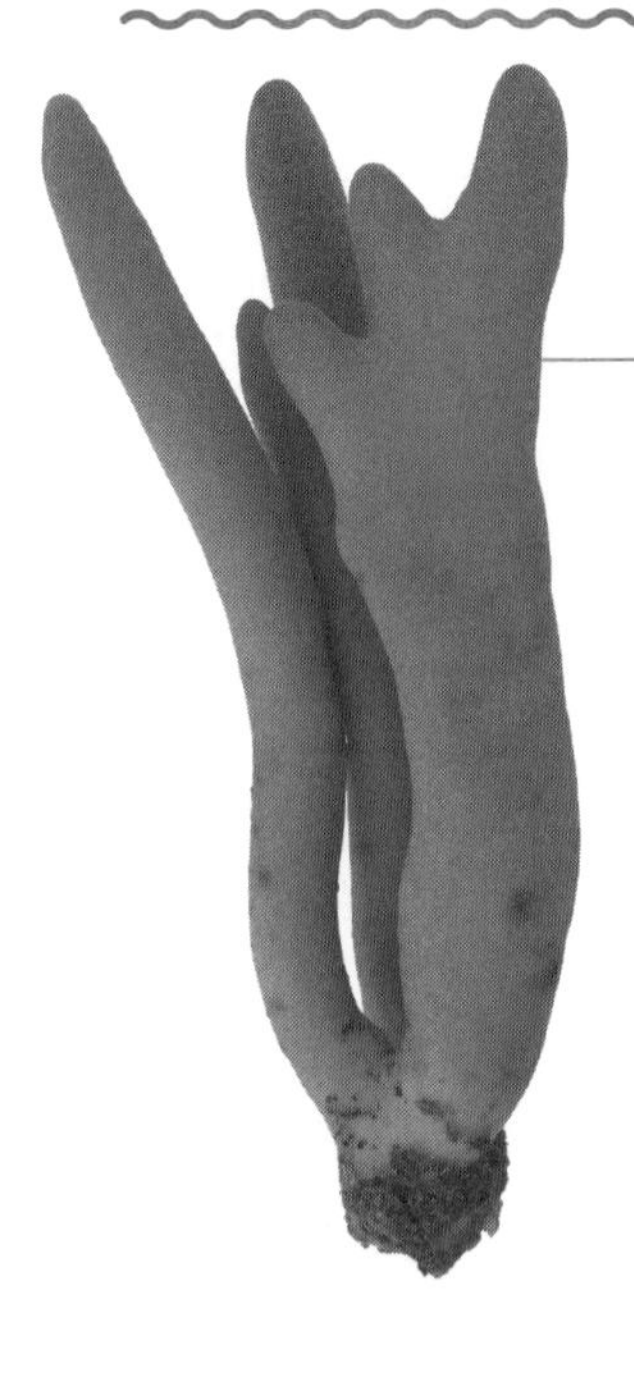

カエンタケ

オレンジ色から赤色の細長い棒状で、一見キノコのように見えないが、火が燃えているような見た目からついた名。触れただけでも皮膚炎を起こし、食べると死に至るおそれもある猛毒をもつ。ブナ、コナラなどの広葉樹の林床に生え、街中の公園や緑地、学校の校庭でも見られるため、手を触れないように。

ドクツルタケ

毒性の最も強い毒キノコのひとつで、大人でも1本で死に至る危険性がある。ヨーロッパでは「死の天使」と言われおそれられている。全体が白色で林の中でもめだち、食用のシロマツタケモドキやハラタケと見分けがつきづらい。似たキノコにも毒キノコが多いので、白色のキノコは危ないと覚えておこう。

キノコ狩りはプロのもとで！

ツキヨタケ

カサの大きさが10〜20cm程度と大型でブナ、イタヤカエデなどの幹に重なり合って生える。毒性はドクツルタケなどと比べ強くないが、色も生え方も食用のシイタケやヒラタケに似ていることから、誤って食べて嘔吐下痢などの中毒症状を起こす事故が多い。

おいしそうだけど…

クサウラベニタケ

ブナなど広葉樹の林の地上に生える。食用のホンシメジやウラベニホテイシメジなどとよく似ているため、誤食による中毒事故が最も多いキノコのひとつ。腹痛や嘔吐下痢など消化器系の症状がおもだが、発汗など神経系の症状を引き起こす毒も含む。

カキシメジ

ブナ、コナラなどの林の地上に群生して生えるほかマツ林でも見られることがある。カサは茶色で湿っているとぬめりがあり、食用でキノコ狩りでも人気のチャナメツムタケとよく似ている。古くなるとヒダに赤褐色のシミができるのが特徴。腹痛、嘔吐下痢などの症状が出る。

外遊び(そとあそ)を楽(たの)しもう

でも子どもは
遊びを通し
危険から
身を守る方法を
学んでいくチュ〜

だから
「命に関わる
重大な事故に
つながる
危険」や
「子どもが
予測できない
危険」を
避けら
れるよう
準備する
チュ〜
ワー!!

そういうことを
子どもと
一緒に考え
るんだチュ〜
公園では
ヒモのついた
ものは
着ない!
持たない!
サッカー
ゴールには
ぶら下が
らない!
すばら
しい!

熱中症や水の事故も、正しく知っておけば、避けることができるよね
海や川ではライフジャケットを着る
天気、気温を確認しておく
27℃
山や川、海の危険を知って、自分を守るための準備をしておけば安心だね！
そうだチュー
「知ってさえいれば防げる事故」を起こさないことが大事だチュー

小さな冒険や
少しの危険
そこを
乗り越えると
すごく楽しくて
ワクワク
する世界が
広がります
みなさんも
自然の中の
危険を
しっかり
知って…
そして自然を
たくさん
楽しみましょう
あっ
弁当
忘れた！
え!!

おもな参考文献・資料

- 『レスキュー・ハンドブック　増補改訂新版』藤原尚雄　羽根田治著　山と溪谷社
- 『野外毒本』羽根田治　山と溪谷社
- 「子供の海の事故発生状況と当庁の取り組み」海上保安庁
- 『名古屋市立大学蝶ヶ岳ボランティア診療班　10周年記念誌』
名古屋市立大学蝶ヶ岳ボランティア診療班
- 「2022/2023シーズン　スキー場傷害報告書」全国スキー安全対策協議会
- 『熱中症環境保健マニュアル　2022』環境省環境保健部環境安全課
- 『スポーツ活動中の熱中症予防ガイドブック』公益財団法人日本スポーツ協会
- 「ゴール等の転倒による事故防止対策について」
独立行政法人日本スポーツ振興センター
- 山岳医療救助情報ウェブサイト　https://sangakui.jp/medical-info/
- NPO法人Safe Kids Japanウェブサイト　https://safekidsjapan.org/
- 国立感染症研究所ウェブサイト　https://www.niid.go.jp/niid/ja/
- 沖縄県ウェブサイト／海の危険生物!!
https://www.pref.okinawa.jp/kurashikankyo/petgaiju/1018721/1005068/1005069
- 厚生労働省ウェブサイト／自然毒のリスクプロファイル
https://www.mhlw.go.jp/stf/seisakunitsuite/bunya/kenkou_iryou/shokuhin/syokuchu/poison/

子どもが安全に楽しく遊ぶことを
サポートするサイト

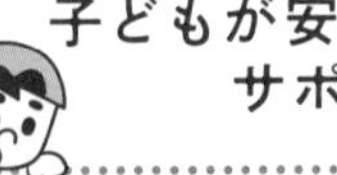

e-Lifesaving

日本ライフセービング協会によって、子どもたちが水辺の事故防止の心構えや、安全のための知識と技能を身につけ、楽しく活動できることを願い、制作された教材サイト。動画やクイズなどを通して、水辺で命を守るための方法を学ぶことができます。

子どもの水辺サポートセンター

川や水辺での活動を、より安全で楽しいものとするためのポイントをまとめた『水辺の安全ハンドブック』や、川での注意点等を映像で紹介している『安全な川遊びのために』、携帯からでも検索ができる「全国の水難事故マップ」などをサイト上で公開しています。

監修者PROFILE

羽根田 治（はねだ・おさむ）

フリーライター、長野県山岳遭難防止アドバイザー、日本山岳会会員。山岳遭難や登山技術の記事を、山岳雑誌や書籍で発表する一方、沖縄、自然、人物などをテーマに執筆活動を続けている。近著に『ドキュメント生還2 長期遭難からの脱出』『これで死ぬ』（山と溪谷社）、『山はおそろしい 必ず生きて帰る！事故から学ぶ山岳遭難』（幻冬舎新書）など。

担当ページ▶P72-99

藤原尚雄（ふじわら・ひさお）

1958年大阪府出身。大雪山系の麓で、大自然に囲まれた生活を謳歌している。雑誌『Outdoor』（山と溪谷社）の編集、専門誌『カヌーライフ』の創刊編集長を務めたのち、フリーランスとしてアウトドア関連および防災関連の雑誌、書籍のライターとして活動する傍ら、消防士、海上保安官、警察機動隊員などに急流救助やロープレスキュー技術を教授するインストラクターとしても活躍中。

担当ページ▶P12-41

松本貴行（まつもと・たかゆき）

横浜国立大学大学院教育学研究科修了。成城学園中学校高等学校保健体育科専任教諭。公益財団法人日本ライフセービング協会副理事長、教育本部長。溺水事故はレスキューよりも、いかに事故を未然に防ぐか？が最重要であると、日本で初めて水辺の安全を誰もが学べるICT教材「e-Lifesaving」を開発。内閣府消費者庁消費者安全調査委員会専門委員。

担当ページ▶P44-63, 66-69

山中龍宏（やまなか・たつひろ）

1974年東京大学医学部卒業。1987年同大学医学部小児科講師。1989年焼津市立総合病院小児科科長。1995年こどもの城小児保健部長を経て、1999年緑園こどもクリニック（横浜市泉区）院長。1985年、プールの排水口に吸い込まれた中学２年生女児を看取ったことから事故予防に取り組み始めた。現在、NPO法人Safe Kids Japan理事長。

担当ページ▶P102-119

文・大武美緒子（おおたけ・みおこ）

フリーライター・編集者。山と溪谷社で登山専門誌、ガイドブック編集に携わったのちフリーに。二児の子育て中、親子でアウトドアを楽しむ。著書に『不思議な山名　個性の山名　山の名前っておもしろい！』（実業之日本社）、編集・執筆を手がけた本に『はじめての親子ハイク　関東周辺　自然と遊ぶ22コース』（JTBパブリッシング）などがある。

イラスト　コルシカ
デザイン　細山田光宣+千本 聡（細山田デザイン事務所）
協力　公益財団法人 河川財団

子ども版　これで死ぬ
外遊びで子どもが危険にあわないための安全の話

発行日　2024年7月5日　初版第1刷発行

監修　羽根田治・藤原尚雄・松本貴行・山中龍宏
文　大武美緒子
発行人　川崎深雪
発行所　株式会社 山と溪谷社
〒101-0051東京都千代田区神田神保町1丁目105番地
https://www.yamakei.co.jp/

印刷・製本　株式会社シナノ

●乱丁・落丁、及び内容に関するお問合せ先
山と溪谷社自動応答サービス　TEL. 03-6744-1900
受付時間／11:00-16:00（土日、祝日を除く）
メールもご利用ください。
【乱丁・落丁】service@yamakei.co.jp 【内容】info@yamakei.co.jp
●書店・取次様からのご注文先　山と溪谷社受注センター
TEL. 048-458-3455　FAX. 048-421-0513
●書店・取次様からのご注文以外のお問合せ先
eigyo@yamakei.co.jp

＊定価はカバーに表示してあります。
＊乱丁・落丁などの不良品は送料小社負担でお取り替えいたします。

ISBN 978-4-635-50050-0